ちくま新書

世界哲学史4

——中世Ⅱ

伊藤邦武／山内志朗
Ito Kunitake　Yamauchi Shiro
中島隆博／納富信留
Nakajima Takahiro　Notomi Noburu
責任編集

1463

世界哲学史4——中世II 個人の覚醒【目次】

はじめに

山内志朗

　世界哲学史とはそもそも可能なのか。カントは、ア・プリオリな総合判断は可能という問いに対して、数学の命題という具体例を出し、それがア・プリオリな総合判断であることを示し、その命題は可能であると語った。ここでもまた、世界哲学史の可能性を示すために、その具体例が必要なのである。

　世界哲学史は進み続ける。この『世界哲学史』シリーズで展開されている「世界哲学」という概念は、寄せ集めということではない。そして同時に普遍概念としての「世界」を意味するものでもない。絶対精神の顕現として哲学の流れを整理しようということでもない。ここでは、特異性と個体性を無みする普遍性・全体性ではなく、包括的多様性が目指されている。

　世界文明は、大河の流域に集住と集権という条件を伴って成立した。哲学は、ギリシアに起源を有する。ギリシアで始まった知的探究を狭く固有の「哲学」として捉えれば、その及ぶ範囲はどうしても狭いものとなり、一九世紀までは西洋に限定されていた。

この『世界哲学史』という企画で考えられているのは、そういった狭い哲学ではない。だが同時に、もしそう主張しようとすれば、その「哲学」、広い意味での哲学はどこに現れているのかという問いが出てくるだろう。

人間が原理や起源を求める問いかけは、直接的な影響関係の有無によっては推し量れない対応関係があったりする。日本の鎌倉仏教と西洋における托鉢《たくはつ》修道会の活躍などは、影響関係などあるわけはないが、単なる偶然の対応として片付けられない構造的な対応関係がある。いや、もちろん偶然かもしれない。

それを探究すべき問題として考察するためには、哲学の展開を地域ごとに限定して捉えるのではなく、共時的に思想を配列して眺める、格子状、マトリックス的な知の整理ということも考えられる。知識の布置は、一つの時間軸の中だけで整理されてはならない。

鎌倉仏教と托鉢修道会の運動は、ユーラシア大陸の東端と西端に現れている。辺境は往々にして新しい思想の母体になる。辺境が新しい哲学を生み出しうるのは、哲学自らの起源に遡ることで、これまで気づかれていなかった新しい思想史の配置を見てとるための視点を与えてくれるからだ。

第4巻は、一三世紀を主たる舞台として、そこに参入する思想群にも目配せしながら、西洋の中心部における哲学群と様々な辺境に現れた哲学がどのように配置されているのかを示す。

第1章

都市の発達と個人の覚醒

山内志朗

1 一三世紀と哲学

†一三世紀における哲学

一三世紀の哲学とはいかなるものか。それを世界哲学として語ることは何を意味するのか。一三世紀は中世盛期である。だが、この入口に陥穽が存在している。中世という名称そのものが、西洋の古代と西洋の近世との中間という概念上の起源を持つ以上、西洋という地域への眼差しに拘束されている。

一三世紀はヨーロッパが世界史の中で急速に存在感を増した時期であり、哲学的にも創造力は顕著であり、西洋哲学の時代と言うことができるほどだ。だから西洋に話を限定して、その時代区分を受け入れてもよい。それでもなお、その時期の営みを「哲学」ということに限定してよいのか、哲学というよりキリスト教神学ではないのかという疑念が生じる。哲学として見るとしても、そのことは、ギリシア哲学との連続性を強調することになる。哲学だけをそこに見出すのは中世の営為を偏って見ている。哲学に注視するのか、中世に独自なるキリスト教神学を重んじるのか、いずれの道を選ぶとしても批判は免れられないのである。

「一二世紀ルネサンス」という言葉がある。一二世紀は、英雄譚や騎士道精神が成立し、アベラール、エロイーズに見られるような大恋愛が登場し、ヨーロッパのアイデンティティが確立したと見られる時代だ。翻訳や科学技術や貿易や十字軍やアラビアの学術の移入、科学ルネサンス、トロバドゥール(吟唱詩人)の登場、ロマンティック・ラブの成立など、華々しい話題に富んでいる。

一二世紀が成長の時代であり、一三世紀は西洋中世の最盛期である。その時代は歴史の配置の上で何を意味するのか。哲学史の流れもそれに呼応して動いていったのか。それを解明するのがこの巻の目的の一つだ。

都市の発展、商業の成長、教育と大学の発達、托鉢修道会の成功など、ヨーロッパは様々な面で大規模な発展を遂げ、世界史の舞台中心への歩みを進めた時期である。アジア大陸の全体が世界システムを構成し、西洋が大陸の西端の辺境であることをやめ、その影響を急成長させていった時代である。

一二世紀の哲学においては、アンセルムスやアベラールといった少数の独自な思想家は見られても、一二世紀は全体として見ると、独自な思想を蓄積するよりも、過去と外来の思想の受容の時代だった。一三世紀は圧倒的に独自な思想が膨大に生み出され、それが短い時間で蓄積されていった。そして、トマス・アクィナスが中世スコラ哲学の黄金時代を形作ると見ると、一三世紀末以降は急激に衰頽していった時期と整理できなくもない。

眼を世界に転じてみよう。勃興する西洋思想に対応する現象が世界各地にあったとは必ずしも言えない。インドにおいては、一二世紀にラーマーヌジャが現れるが、盛期とはいいがたい。中国においても、一二〇〇年に朱子が没したのち、一三世紀に大きな潮流が動いていたわけではない。

だが、日本においては、法然、栄西、明恵、道元、親鸞、一遍など数多くの大思想家が現れる。この時期こそ大陸の西端と東端において、局地的ながら哲学的激流が動いていた時代なのである。辺境は単なる辺境ではなく、世界の一部をなす以上、大きな動きが伏在していたのかもしれない。

†大学と哲学

一三世紀は、大学がパリ、ボローニャ、オックスフォードなど各地に成立し、西洋における学問のあり方を根底から変えていった。大学は、神学、法学、医学、学芸学部の四学部から構成され、学生はまず自由七科を中心とする基礎教育を修了し、その後で専門学部に進むことになっていた。学芸学部の主要教材がアリストテレスであったことから、学芸学部は「哲学部」として、他の三学部と並ぶ独自の性格を発揮するようになっていく。神学教授としての資格を得るのには聴講、講義、討論などの学習を積み重ね、最低で一五年も必要であったが、その教授免許資格は、国際的に通用し、学知の移植と標準化が進んだ。大学は知の発展と流動に大きく寄与したのである。

学芸学部での学業がアリストテレスの著作を基礎としていた以上、その影響は神学にも大きく及ぶ。哲学と神学、自然と恩寵の関係をどうするかが大問題となった。アリストテレスの枠組みは、論理学書（オルガノン）と、それを踏まえた哲学書であり、神学的な事柄に馴染まない場合も多かった。

正統的神学思想の典拠を集成した『命題集』が、一二世紀以降数多く作成されたが、こちらの方にこそキリスト教固有の論点が扱われており、神学部での講義内容は主に聖書講義と『命題集註解』となった。特に後者の形式が神学研究の基本形式となった。これは保守的な知の再生産の様式と見られてきたが、伝統的な思索の材料を利用し、討論の中で新たな思考法を提唱する技術革新の側面を有していたことは見逃されるべきではない。自分の師の見解であってもそのまま継承するのではなく、批判的に扱い、自分独自の見解を付することが求められたのである。

教授免許が国際的に通用し、人的交流が盛んであったことは、研究拠点の移動を引き起こした。知識は、移動し伝達されることで拡散増殖していく。知識の練達の形式を見ても、討論と註解が使用されたことで、様々な見解が提案されていった。学説の蓄積が生じたのである。学説の蓄積は、分類を引き起こしたが、この諸学説の見解の蓄積とその整理は、一四世紀に入ると急激に進んでいった。

トマス・アクィナス（一二二五頃～一二七四）においても、『神学大全』であれば、比較的理解しやすい叙述形式になっているが、ほかの定期討論集の記録である『真理論』になると、紹介される学説の数は格段に多く難解さと精密さの度合いは比較を絶する。ドゥンス・スコトゥス（一二六五頃～一三〇八）が精妙博士といわれ、難解な哲学と称されてきたが、スコトゥス以上に精密煩瑣な神学者は数え切れないほどである。新しい学説が次々と蓄積され、盛んに討論が重ねられ、学説史として整理されていった結果である。

しかし、『命題集註解』全四巻すべてについて講義をすることが神学教授として必要条件になったことは、それまでの主要な学説を理解記憶し、論駁し、さらに新たな自分の学説を付け加えることを意味する。時代が経てば経つほど、学説の数は増えてきて、修業期間内に踏破できないものとなれば、学問の形式として継承されることはできない。一五世紀になると、もはや『命題集註解』という形式は徐々に廃れていってしまう。量的限界ということが存在したのである。

しかしながら、そういった量的限界もまた、活版印刷術が登場し、書物が記憶媒体として成立し、目次や索引や見出しなどが完成し、検索が簡便になると、人間の知性が記憶媒体である必要はなくなってくる。そのような哲学環境の中で近世哲学が新たな可能性を求めて成立してくる。ここでは、中世の環境で考える。

いずれにしても、一三世紀は四学部からなる大学が成立し、ヨーロッパ全土において流通するラテン語での伝達形式が確立することで、文化的に、政治的に、経済的にも強力な共通文化圏が成立したのである。このことは、時代の変化という面でも大きな出来事だった。そういった文化環境の変遷の中で一三世紀は捉えられるべきなのである。

こういった文化環境の劇的な変化はヨーロッパにのみ当てはまる現象なのだろうか。確かにここまで見てきた論点から見ると、当時の文化環境の変遷はヨーロッパ固有のことのように見える。しかし、別の考察軸もあるように思われる。「都市」という論点である。実は、都市の形式はヨーロッパにのみ固有のものではなく、そして世界各地に見られるその集住形式は、歴史の流れを考える場合、決定的な影響を人間生活に及ぼしてきたように思われる。そして、哲学の展開とも密接に結びつくし、一三世紀の哲学の流れもこの論点との関連で考えられるべきであると思う。

2 都市という集住形式

†文化形式としての都市

中世神学で論じられた主要なテーマ、たとえば三位一体、義認、功績、実体変化など、個別的なテーマには事欠かないが、近世との接続を考える場合、人間性と個性が抑圧された中世という整理は今でもしばしば見受けられる。中世は昏い時代なのか。しかし同時に、近代の個人主義が中世に淵源していたという指摘も様々になされる。個人主義の源泉は中世にあるというのは確かだ。そして、それこそ中世哲学の基本問題とされる普遍論争とも密接に関連してくる。

一三世紀を西洋に限定せず、世界哲学として共時的な視点から見る場合の基軸となるものに「都市」ということがある。哲学はテキストや議論の形式に限定的に内在するものではなく、メディアの発達とも連動すると考えられる。たとえば、活版印刷術は哲学の内実と形式に決定的な影響を与えたのではないのか。そして都市もまたメディアの形式なのだ。

都市の形成と成長は、一三世紀に限られたものではなく、インド、中国、アラビア圏など、多くの文明地域で古来、城壁を伴う形式で都市は発展してきた。壕と城壁を伴うことが普通であったのに、いずれの都市でも生じた市街地の成長によって壕も城壁も破壊され、跡形もなくなってしまっているのがほとんどである。一三世紀を都市という視点で概観したいのは、西洋において急激に都市の成長が生じ、当時の歴史を見渡す尺度として捉えられるようになっているからだ。

人類の歴史において、都市という集住形式は人間生活に大きな影響を及ぼしてきた。都市は市壁に囲まれた空間における集住様式であり、経済的中心、政治行政的中心、宗教的中心、知的中心といった、様々な機能の集約地点だったのだ。日本のように、中心部の君主城郭のみが城壁を有するという形式は稀である。西洋も、インドも、中国も都市は中世において城壁を備えていた。

都市は基本的に市壁(防壁、城壁、羅城、都市壁など様々に呼ばれる)を備えている。これは見逃されてならない重要な点だ。日本の都市のように古代から城壁を持たない都市が大部分というのは珍しい。そして城壁は、戦争や侵略時の防御の機能だけでなく、平和なときに、人間や物品について、通行・搬入の際に、通行税や関税を課することができたのである。

西洋中世の都市にも市壁がつきものである。高さが一〇メートルほどで厚さも二メートルを超えるものがほとんどだった。城門以外は侵入が困難な堅牢な隔離壁をなしていた。都市全体が城塞という様相を呈することが多かった。一三世紀は急激な都市化の時代である。都市化はペストが猖獗を極める一四世紀半ばまで進展し続けた。

西洋中世の都市は、ほとんどが四〇〇〇人以下の都市であり、人口が一～二万人もあれば、ヨーロッパでは大規模都市に属した。アジアの巨大都市とはくらべものにもならない。ドイツでは、一二世紀半ばで都市の数は二〇〇ほどだったが、一〇〇年後には一五〇〇ほど、一四世紀半ばペスト流行前には三〇〇〇以上に増えている。

都市の成長は、托鉢修道会の活動、大学の発達、経済活動の隆盛と深く結びついていたのである。そして、それは、物質的側面においてのみならず、人間精神のあり方にも大きな影響を及ぼさずにはいられなかった。

†都市と個人

一二世紀においては、修道院の霊的生活が現世蔑視の精神を涵養した。中世初期の大常套句「現世蔑視」というものがあった。肉体と魂、現世と天国とを二元論的に分離し、肉体と現世との惨めさを語ることで、来世への希望を強化する枠組みだった。しかし、「一二世紀ルネサンス」という言葉が示すように、多方面における時代の創造的発展と関連して、現世の諸価値への愛着は増大し、現世蔑視の精神は衰退していく。

一二世紀末に煉獄という表象が登場したことは、現世蔑視という単純な世界観とは異なる人生観を生み出していった。天国と地獄という二元的世界構成に、煉獄という第三世界が登場したことは、個人の死と集団的審判とを隔てる中間の期間が、個人の行為を判別する期間として表象されるようになったということもできる。煉獄は信仰生活の個人化という文脈でおさえると、個人主義に有利に働く。煉獄は個人の死と、それに続く審判とに関心を集中せしめたのだ。

一二世紀以降、個人の救済ということが問題として現れてくる。リテラシーが聖職者に限られていた時代においては、教会に通い司祭の言うことを聞くのが唯一救済への道であった。余裕のある市民層が聖書を手に入れ、ラテン語の読解力を身につけ、自分達で聖書を読み始めるとき、教会による集団的救済とは異なる道が現れた。そして、その読解の担い手は女性だった。つまり、一二世紀後半以降、リテラシー、異端、女性、都市ということは結びつき、大きな流れを形成していった。自分の力で、聖書を読み、自分で苦行や巡礼を実施する庶民が増えていったことも同じ流れに属する。個人が自ら自分の救済を求めるようになったのである。

都市とは、文化的、いや「哲学的」環境でもあった。都市とは、城壁に囲まれた集住の形式にとどまるものではなく、同業組合に所属し、正式の市民権を得るにも様々な手続きの必要な共同生活であり、一人一人の身元保証と識別を必要とする組織であった。

都市の生活は、集住を進めていった結果であり、一見すると、個人は共同体の中に埋没していったようにも見えるが、むしろ逆に個体性を際立たせる効果を持っていた。一三世紀が個人の起源の時代であるのは奇妙なことではない。個体主義は哲学的概念の問題にとどまるものではない。

†都市の中の修道士

すでに見てきたように、都市の成長は、宗教組織の営まれる場所にも影響を及ぼした。一二世紀までは修道院は俗化した都市から逃れて、初期修道制の隠修士の理想を目指し、都市から離れた場所に建てられた。

ところが、一三世紀初頭に活動を始めた托鉢修道会（フランシスコ会、ドミニコ会）は修道院の静謐なる生活から脱出した。彼らは説教に大きな力を注ぎ、活動の場所を都市に求めた。それは、宗教的情熱の新しい方向に照応するだけでなかった。彼らは都市に住む手工業者の不安、苦悩、願望と共に生きることを目指した。それは都市に住む人々の数の増大のみならず、手工業者、商人など時代を支える市民階層の勃興に応えるものでもあった。

托鉢修道会士は説教者として活躍した、彼らは都市の広場で説教を行い、教義を広く伝える役割を果たした。彼らは都市で活躍する新しいメディアだった。

托鉢修道会は、都市における市民の宗教的要求に応えるものとして、新しい宗教的機能を発揮する組織となった。そして、哲学にとって重要であったのは、学問を新たに担う組織となっていったことである。メディアの組織体として大学は新たな機能を発揮したが、そこでも托鉢修道士は大きな役割を果たした。

ドミニコ会もフランシスコ会も、神学教育を重視した。アッシジのフランチェスコ(一一八一頃〜一二二六)は学問をすることが信仰心の妨げになるとして慎重な態度を採ったとも記されるが、時代の流れの中で両方の托鉢修道会が高等教育をも重視し、パリ大学での神学者養成教育に力を注ぎ、ドミニコ会は二つの教授ポスト、フランシスコ会も一つの教授ポストを獲得した。それは、在俗教師団の危機感を募らせることになるほど、急激な伸長を遂げたのである。

知識の記憶装置が図書館から個人の頭脳をも含むようになった。大学の制度は、知識の分配と拡大において画期的な制度であった。哲学とは決して文章の内容、コンテンツによってのみ構成されるものではなく、メディアの形式としても考えられるべきなのだ。一三世紀とは、コンテンツによってばかりでなく、メディアの形式によっても大きく変化した時代だった。

大学は、知が維持されるための継続性、ラテン語という共通語の運用能力を持ち各地で教授しうるという移動可能性、人材の再生産を可能にする教育組織であり、托鉢修道会は、それまでの修道院とは異なり、都市の中で活躍し、定住するよりも各地で活動するということで、可動性を大学という知識活動に与えたということもできる。

3　中世における個体と個人

†個人概念の土壌としての都市

個人とは存在論を構成する概念にとどまるものではない。一三世紀において個人意識が伸長していったことは、これまでに指摘されてきた。その起源については、見解が分かれるが、都市に関わりがあると考えられる。都市は、集住の形式ということだけでなく、城壁に囲まれた密集空間であり、集合住宅の中では、個々人の素性は日常生活を平穏に過ごすことにとって重要であった。当時、三〇パーセントから四〇パーセントの男性は洗礼名がジャンであった。出身地や苗字となった通称をつけても同姓同名を避けることはできなかった。したがって、住所が個人を識別する重要な要素となった。パリなどの大都市においては、多くの同姓同名と曖昧な住所制度を利用して、悪い評判や家族の関係など、負い目のある過去の歴史を消し去ることもできたのである。いずれにしても、大都市は個人の特性が重視されたのである。

個人性の重視は大都市の状況だけでなく、人間の内面への眼差しの変化にも関係している。

一二一五年に、第四ラテラノ公会議は教会の成人信者が、最低限の義務として一年に一回は告解を行うことを課した。告解では七つの大罪——高慢、貪欲、嫉妬、大食、怒り、怠慢、淫欲——という人間が犯さずにはいられない罪と様々な小罪を告白することが必要であった。それは自己反省を社会に広める試みであった。告解のかなりの部分は性的な事柄であったため、私秘性の領域に公共的な視線が入り込むことを意味した。このことが近代的な自己意識の形成に役立ったとも言われる。

ギリシア哲学の伝統にそうのであれば、それは普遍を先立てて、それが限定されていく形式で構築されていく。古代において、個人概念が強調されることは多くはない。ところが、西洋中世の思想は、個別的なものからではなくて、普遍的なものから出発していた。キリスト教は、魂の救済の可能性を得るために、自分自身の個人性を放棄し、キリスト教徒の群れに加わることを求めた。個人の救済よりも集団の救済が主要なる道だった。

中世人は、自分自身のうちに他の人格に影響を及ぼす行為の中心を見ることはなく、人間の本質は、社会的地位、階級的身分、職種によって規定されやすかったのである。中世人は集団の枠内においてのみ完全に自己を見出し、自己を認識することができた。人間が完全に個人的に行動しなければならないことは稀であった。集団の目的と規範に反した行動をとることは非難されるべき振る舞いだったのである。

魂の救済というのは、キリスト教の根幹に関わるものであり、原始キリスト教の時代から論じ続けられてきたものであれ、集団的な救済の側面が強く、個人の魂の救済ということは主題化されてこなかった。ところが、一二世紀の半ば辺り、つまり様々な異端が登場し始めた頃から、教会の教義を通して集団的に救済されることを求めることに飽き足らず、個人の魂の救済を求める流れが顕著に表れてくる。

それに呼応するかの如く、「煉獄」という思想が現れてくる。ル・ゴッフ（一九二四〜二〇一四）は、煉獄という表象が個人主義に有利に働くと捉える。煉獄は個人の死と、それに続く審判とに関心を集中せしめる。一二世紀末は、来るべき立憲的発展と、社会における個人の出現の種が播かれた時期と捉えることもでき、そういう観点からもこの時期が「個人の出現」の時期であったと言える。この個人の出現は、死と死後世界における運命という最前線にもっともはっきり認められる。

ルネサンスの巨人たちは、自己の人格を求心的に捉え、世界を自分の中に映し出そうとしていたが、中世の人間は、自己を遠心的に捉え、自己を周囲の世界に投影し、そこに吸収される姿で捉えていた。個人意識の成立に密接に結びつくように見えるのが、告解の制度化である。告解は罪の意識を前提する。贖罪規定書に書かれた罪に該当するものを告白しなければならない。一三世紀には個人の自己意識に転機が訪れ、個人の意味はドゥンス・スコトゥスやダンテ（一二六五～一三二一）において深められていく。注意しなければならないのは、中世における個人意識は哲学的な枠組みの中で発展していったわけではない。

個体と個人というのは日本語では使い分けられる。個人は人格を備えた人間であり、かけがえのない個体性と個別性を備えた存在者である。個体といえば、「この机」「あの鉛筆」というように、唯一者として同定できる存在者であって、人間である必要はない。

近世に入って、自己意識、自由、自然権、人権などが重視されるにつれて、「個人」ということが問題になる。現代の思想史的関心においても個人主義の起源とその内実は、様々に論じられてきた。一三世紀初頭のフランチェスコに近代人の起源を見出したり、フランシスコ会の伝統の中に個人主義の伝統を見出す試みも多い。

†普遍論争と個体化の問題

一三世紀においては、普遍に何が付加されて個体が成立するのかという個体化の議論が盛んにおこなわれた。そして、普遍論争もまたこの個体化論を巡ってなされたのである。種という多数の個体からなる存在者において、そこには共通なるものとしての普遍が成立していて、そこに個体化の原理が付加されて個体が成立するという枠組みで議論されていた。その場合、付加される個体化の原理は、種を構成する本質（普遍）と異なるのか、異ならないのか、という議論を立てると、いずれにしても奇妙なことになる。本質の外部であれば、偶有性となって、本当の一なる個体を構成できないし、同一であれば、そもそも本質と異なる個体性原理は不要であるということになってしまう。

中世哲学において、普遍の問題も個体化の問題も重要な基本的問題であり、古来盛んに研究されてきたが、明確な理解しやすい図式はなかなか登場しなかった。従来、普遍は実在するというのが実在論で、普遍は名のみのものと考えるのが唯名論という整理がなされてきたが、それでは問題の姿が見えてこない。その際、普遍に対して特殊化がなされるとその終極の限定として個体化が成立するという図式で語られながら、その問題が立てられる枠組みそのものへの批判が一三世紀の主流となってくる。つまり、アリストテレスの論理学の枠組みを前提とすることへの問題提起がなされるのである。

普遍と個体の関係について考える場合には、中世論理学にこだわったチャールズ・サンダース・パース（一八三九〜一九一四）の「タイプ／トークン」という分類が必要だ。

タイプとは普遍というのではなく、普遍の或る様式だ。タイプとトークンは、普遍と個物との関係に一部対応するが、それが中世の枠組みでは見えにくいものとなっている。

言語的記号において、一般者としての側面と、その使用によって生じる個別的な物理的生起体としての側面との区別は、パースによってタイプとトークンと呼ばれた。タイプとトークンは伝統的な普遍／個物に対応する。中世においては、普遍論争は主語と述語の概念的関係の分析に終始することが多かった。

個体とは、主語となるが述語とはならないという特質を有する以上、個体を成立させる原理を個体化の原理とし、その原理が、「存在、物体的、動物、理性的、……」といった可能な限り事物を細かく分類し、その究極に現れて、個体化を成立させるものとして設定されることは、個体化の問題にそぐわないものである。

内包や概念にではなく、指示や外延において探求しようとする外延主義が個体化論の主流であった。そういったなかで、ドゥンス・スコトゥスが主張した「このもの性」という概念は、個体化を成立させる内包的規定であり、何らかの概念に対応するものと解された。スコトゥスは個性を重視する個体主義者であり、近代的個人主義の起源の一つとして目されたのである。

スコトゥスの弟子であったウィリアム・オッカム（一二八五頃～一三四七頃）は、個体主義者であったが、唯名論の立場に立ち、個体化の原理は不要であると考えた。もし普遍が先行的に存在して、それに個体化の原理が付加されて個体が生じるのであれば、個体化論も意味はあるが、オッカムからすると、本来存在するのは、個体だけであり、普遍は概念でしかないのだ。

ドゥンス・スコトゥスが普遍の実在性を説く実在論者で、オッカムは唯名論者、そしてこの両者の間に中世と近世を分かつ断絶が見出されてきた。

この解釈にはドゥンス・スコトゥスの立場がいかなるものか、特にオッカムとの思想上の距離の判定が重要になってくる。ドゥンス・スコトゥスの議論は錯綜しているが、スコトゥスも普遍と個物の関係を明らかにタイプとトークンとして考えているところもあり、スコトゥスとオッカムは、実在論と唯名論という対極に立つ構図は成立していない。このような枠組みの整理が求められている。

スコトゥスとオッカム、それぞれの普遍論と個体化論については、一つや二つの論文で解決できるものではない。両者は、存在論におけるきわめて煩瑣な概念をめぐって激しく対立した。そして実在論と唯名論という中世と近世を分ける分断がそこに見出されても来たのだが、宗教思想においても倫理思想においても個体主義においても両者は連続的だ。

両者の関係は、存在論の中においてのみ判定されるものではなく、社会的な面、宗教的な面まで含めて検討されるべきなのである。

†一三世紀という時代

一三世紀における個体の問題は、都市の発展という社会生活の変化、宗教制度における告解の制度の導入、市民階級の勃興、経済活動の発展など多面的な変化に呼応するところがある。

そして、神学・哲学においても、普遍論争が盛んに論じられ、その中心が個体の扱いであったことにも見られるように、個体は中心問題となっていった。ギリシア哲学において、個体が論じられる場面は多くはなかったが、中世において大きく変質したのである。個体という概念は平明なものではない。「部分に分割されないもの」というありきたりの説明では、意味をとり損ねてしまう。部分ということは、「妥当する複数の具体例」ということだから、唯一のものという説明不可能なものにたどり着いてしまうのだ。だからこそ、個体ということはイスラーム哲学においても日本においても問題として論じられることが多くはなかったのかもしれない。とすれば、欠如の相においてあるとしてもそれは欠如する理由があってのことだ。個体という概念の持つ問題性も、西洋に閉じた問題ではない。

世界に目を転じるとき、都市化と個人の覚醒に対応する現象が普遍的に見出されるのか、といえばそれは容易に見てとれることではない。世界全体を一括りにできる知の生産図式がはたして可能なのか、それは今後の課題なのだが、その可能性の萌芽を設定することは考えられる。ユーラシア大陸の西端と東端において、呼応するかのごとく現れた個人の魂の救済への眼差しの隆盛は、「世界哲学」の徴《しるし》かもしれない。

さらに詳しく知るための参考文献

ジャック・ル・ゴッフ『煉獄の誕生』（渡辺香根夫・内田洋訳、法政大学出版局、一九八八年）……一二世紀に成立した煉獄の概念を当時の神学者がどのように定式化していったかを整理した名著。

アーロン・グレーヴィチ『中世文化のカテゴリー』（川端香男里・栗原成郎訳、岩波書店、一九九二年）……個人概念の成立について示唆にとむ記述が多い。

坂口ふみ『天使とボナヴェントゥラ――ヨーロッパ13世紀の思想劇』（岩波書店、二〇〇九年）……一三世紀の中世哲学の様子をトマス・アクィナスと比肩されるボナヴェントゥラの哲学を中心に活写した研究書である。

小林公『ウィリアム・オッカム研究――政治思想と神学思想』（勁草書房、二〇一五年）……唯名論者オッカムの政治思想、神学思想、哲学思想を網羅した大著。ウィリアム・オッカム研究に人生の多くを費やした著者の渾身の力作である。

コラム1 ウィクリフと宗教改革

佐藤 優

中学校、高校の教科書だと宗教改革は、一五一七年にドイツのマルティン・ルター（一四八三～一五四六）がウィッテンベルクで贖宥状《しょくゆうじょう》（いわゆる免罪符）を批判する「九五箇条の論題」を発表したことを契機に始まったと記されている。しかし、実際の歴史はもっと複雑だ。ルター、フルドリッヒ・ツヴィングリ（一四八四～一五三一）、ジャン・カルヴァン（一五〇九～一五六四）らによる一六世紀の宗教改革は、二〇〇年近くの教会改革運動の結果なのである。ここで重要になるのが、一五世紀のチェコ（ボヘミア）宗教改革だ。聖職者でカレル（プラハ）大学学長であったヤン・フス（一三六九頃～一四一五）は、教会による贖宥状の発行を厳しく批判した。その過程で、贖宥状を発行する教皇の権威を疑うようになった。

フスは、イングランドのジョン・ウィクリフ（一三三一頃～一三八四）の著作から影響を受け、教皇や枢機卿を含むすべてのキリスト教徒にとって聖書が最終的権威であるとの確信を抱くようになった。教皇も聖書によって裁かれるべきであり、聖書に従わない教皇にキリスト教徒は従うべきでないとフスは主張した。当時、フスの教えに共鳴する人々はチェコ語でヴィクリフテン（Vikliften、ウィクリフ主義者）と呼ばれた。教会は、コンスタンツの公会議にフスを召喚、異端宣告し、一四一五年七月六日に火刑にした。チェコ人はこれに反発し、フス戦争が起きた。教会はこれを武力で鎮圧するが、フス派を根絶することはできなかった。一六世紀にチェコのフス派は、ルター派や改革派に合流する。公会議でウィクリフも異端と宣告され、遺体を掘り起こし、焼き捨てるとの決定がなされた。この決定は一四二八年に履行され、遺灰はスウィフト川に捨てられた。

チェコの神学者は、フスの宗教改革を第一次宗教改革、ルター、ツヴィングリ、カルヴァンらの宗教改革を第二次宗教改革と呼び、一五世紀と一六世紀の宗教改革を一体のものとしてとらえるべきと主張する。単一の教会によって社会が統治されるという機構が揺らいだという点で、フス派の宗教改革は、従来の教会改革の枠を超えていた。その神学的根拠はウィクリフによって形成されたのである。宗教改革の中心的原理は「聖書のみ」だ。この原理を確立したのもウィクリフだ。ウィクリフも他の神学者たちと同様に教会のみが聖書を正しく解釈できると考えていた。ただし、教会は聖職者だけでなく救いに予定されたすべての人々によって形成されているので、聖書は民衆に理解できないラテン語ではなく、世俗の言語に翻訳され、民衆の手に取り戻されなくてはならないと考えた。ウィクリフの弟子たちは聖書の英語訳に取り組んだ。今日、われわれが日本語を含む世俗言語で聖書が読めるのもウィクリフのおかげだ。

ノルウェー王国
ウプサラ
スウェーデン王国
北 海
デンマーク王国
バルト海
ドイツ騎士団領
ブランデンブルク
カレー
ザクセン
ポーランド王国
ケルン
アミアン
ベーメン
マインツ
プラハ
クラクフ
トリーア
神聖ローマ帝国
ウィーン
アウクスブルク
コンスタンツ
ブダ
クリュニー
ヴェネツィア
ハンガリー王国
ミラノ
アヴィニョン
ヴェネツィア共和国
教皇領
ジェノヴァ
ピサ
ローマ
地
中
海
ナポリ
サレルノ
両シチリア王国
パレルモ

スコットランド王国
アイルランド
ダブリン
イングランド王国
ロンドン
大西洋
ブレスト
パリ
ブレティニー
オルレアン
ボルドー
フランス王国
ナバラ王国
ギエンヌ
サンチャゴ＝デ＝コンポステラ
ガスコーニュ
ポルトガル王国
カルカッソンヌ
カスティリャ王国
サラゴサ
リスボン
トレド
アラゴン王国
コルドバ
セビリャ
グラナダ

ヨーロッパ（13 世紀）

第2章
トマス・アクィナスと托鉢修道会

山口雅広

1 トマスの思想体系の基本的特徴

†宗教的天才たちの世紀

一三世紀は、洋の東西を問わず、数多くの宗教的天才たちが出現した特筆すべき世紀である。実際、日本に目を向ければ、第9章において論じられるような、仏教思想史上に名を残す偉大な人物たちが次々と世に現れた。例えば法然（一一三三〜一二一二）の門下の一人で後に浄土真宗を開いた親鸞（一一七三〜一二六三）、法華宗を創始した日蓮（一二二二〜一二八二）、それに中国の宋に赴き師から法を受け、曹洞宗の開祖となった道元（一二〇〇〜一二五三）がいる。

他方、西欧に目を転じれば、本章において取り上げるトマス・アクィナス（一二二五頃〜一二七四）自身が、この世紀に生まれた最も偉大なキリスト教思想家の一人である。もちろん彼は、以上のような日本仏教思想史上の偉人たちとは異なり、新しい宗派を開いたというわけではない。しかし彼は伝統的なキリスト教世界の中にあって、当時新たに成立したばかりの「托鉢修道会」の一つ、説教者兄弟修道会（通称ドミニコ会）の一員となり、彼らと同様にさまざまな批判を受けながらも、宗教的世界の刷新につながるような崇高な理念に基づき、固有の宗教生活を送ったり、その批判に応えたりすることを通して、みずからの思想を明確にしていった。

以下では、まずトマスの思想体系と托鉢修道会それぞれの基本的特徴を見る。その後、トマスが托鉢修道会士（ドミニコ会士）として大学において巻き込まれた論争に焦点を当て、最終的には彼の考えるキリスト教的生活の理想の一面を描き出してみたい。

†信仰と理性の調和と『神学大全』の構成

さて教科書的な言い方をすれば、トマスの思想史上の偉大さは、キリスト教神学に哲学を取り入れ、キリスト教信仰と理性が調和する壮大な体系を構築したことに認められる。実際彼はキリスト教神学を地盤としつつ、古代ギリシア以来のプラトン主義哲学の諸要素と、アリストテレス哲学の諸要素をうまく結びつけ、実に独創的な思想体系を構築した。形式的にではあってもこのことを確認するには、彼のおよそ九〇点に上る諸著作の中から、彼自身の手によってはついに完成させられなかったとはいえ、それでも彼の最高傑作としての評価は動かない『神学大全』を選び出し、同書がどのような構成を持つのかを検討すればよい。

そもそもこの書名そのものの意味をわかりやすく言い直せば、神について論議する学問（神学）全体にわたる個々の知識を、ただ羅列するのではなく、簡潔明瞭に総合した書物（大全）、ということになる。事実トマスは『神学大全』の序文から明らかであるように、キリスト教に関する数多くの事柄を場当たり的にではなく一定の仕方で区分し、筋が通るように整え、簡明に論じることを志している。

いま同書の最も大きな構成単位である「部」に注目すれば、同書は三部に区分される。第一部の主題は神である。そこではまず神の本質と三位一体が、次に神の創造が論じられる。第二部は、さらに二部（第二部の一と二）に分けられる。とはいえ全体としては、被造物としての人間が神に向かう動きを主題とする。第三部の主題は人間を神へと導くキリスト（救い主）である。以上の三部は、トマスの秘書が付加した第三部の「補遺」にあるものを除いて、全五一二個の考察されるべき論題（「Aについて」）を掲げる「問」を含み、それらを有機的に配列する。以上の問はさらに細分化を徹底され、全二六六九個の特定の論題（「AはBであるか」とか「Aはあるか」とか）を扱う「項」に分けられる。

こうして『神学大全』においては、膨大な数に上る各項の論題が、順番に一つずつ丁寧に検討され、それぞれの特定の問題に対する解答が着実に積み上げられていく。各問の論題についての理解、さらに言えば各部の主題についての考えは、この宝石細工のように精密に組み上げられた密度の濃い一連の議論を通して深められ与えられることになる。

†『神学大全』の構成と「発出と還帰」の図式

ところで『神学大全』の以上のような壮大な三部構成のうち、第一部と第二部の関係に目を留めれば、その関係は「発出と還帰」という図式に従って理解される。実際トマスが神学の主題の区分に関して、『新約聖書』「ヨハネの黙示録」第二二章第一三節を解釈して主張することを参照すれば、「神が創造全体のアルファにしてオメガである」（トレル『トマス・アクィナス 人と著作』）。この主張を敷衍すれば、神はアルファ、すなわち諸事物が発出してくる始源であるし、またオメガ、すなわち諸事物が還帰する終極・目的でもある、ということになる。ところで第一部と第二部はそれぞれ、創造者としての神と、被造物としての人間の神に向かう動きを主題とする。したがってこの目的と始源という二つの観点からの神理解が、以上の二部の関係の土台となっていると見られるのである。

しかし発出と還帰という図式そのものは、以上のように第一義的に聖書的に理解されるばかりではない。プラトン主義哲学の立場に沿って理解することもできる。実際この哲学の世界像によれば、その頂点に位置する一者は二重に規定されている。一者は多様なものの階層的な発出の始源でもあれば、知性と魂が還帰しようとめざす目的・終極でもある。この哲学は確かに、世界は神の自由な意志決定によって創造されたとか、人間が自由意志によって善を行うには神の恩恵が必要であるとかいった、キリスト教神学に固有の主張を持つわけではない。しかしそれでも以上のようなその世界像には、いま触れたばかりのキリスト教的世界像に親和的なところがあるのは確実である。そこでこの哲学が『神学大全』第一部と第二部の以上のような関係に、間接的にではあるが影響を及ぼしていると見ることもできるのである。

最後に『神学大全』第二部の構成に焦点を絞って言えば、その構成は、大枠においてではあるが、アリストテレス『ニコマコス倫理学』のそれに従っていることが理解される。実際後著は、人生の目的としての幸福に関する議論と、その実現に不可欠な、勇気・節制・正義・思慮に代表される諸徳に関する議論に始まり、観想的生活と活動的生活という何らかの意味において幸福に値する二つの生活に関する議論に終わる。そして前著の構成を子細に見れば、なるほど後著のそれにはない、例えば原罪に関する論考や、信仰・希望・愛という神学的諸徳についての論考、それにキリスト教的修道制に関する論考が含まれる。しかしそれでも後著の以上の構成そのものが、前著の構成のうちに取り入れられていることは容易に認められるのである。

†一二世紀ルネサンスとトマス

ところで、トマスの以上のような特色ある思想体系が生まれることに寄与した西欧中世の歴史的事実とは何かと言えば、その一つは言うまでもなく「一二世紀ルネサンス」である。中世のこのルネサンスは、典型的にはイスラーム圏あるいはビザンツ帝国からもたらされたギリシア・ローマの数多くの重要な学術文献をラテン語に翻訳することを、その最も主要な側面の一つとする。この大規模な翻訳運動がきっかけとなって、西欧一三世紀には、アリストテレス著作集成の全体が姿を現し、研究を進められるようになっていった。かつてのようにアリストテレスの論理学書の一部分だけが知られ、研究されるという状況が一新された。その結果、アリストテレス哲学はどう解釈されるべきであるかはもちろん、そもそも受け容れられるべきであるかということさえ、新たに問われることになった。

当時の知識人たちは、この課題を共通的に課せられ、さまざまな解答を提出することになった。キリスト教の教えに対する顧慮を十分に払うことなしに、イスラーム圏を代表するアリストテレス哲学の註釈家の一人アヴェロエス（一一二六〜一一九八）に従ってその哲学を解釈しようとする、後の「啓蒙思想家」の原型のような知識人（ラテン・アヴェロエス主義者）たちもいた。また従来の哲学の主流であったプラトン主義哲学の体系を支えとするアウグスティヌス（三五四〜四三〇）にまで遡るような伝統の中で、その伝統を補強するためにアリストテレス哲学を援用するにとどまる、ボナヴェントゥラ（一二一七頃〜一二七四）のような「保守的」な知識人もいた。

その中にあってトマス自身はどうだったのかと言えば、彼はいわばラテン・アヴェロエス主義者とボナヴェントゥラの中間にいた。彼は確かに前者のようにアリストテレス哲学を積極的に受容しようとした。しかし後者と同じく無条件にではなかった。トマスはこの哲学に対してだけでなく、プラトン主義哲学に対しても批判的態度で臨み、どちらの哲学からも多くを学びつつ、しかし根本的なところでは独自に解釈し直してから、彼自身のキリスト教神学の体系に大いに取り入れた。「哲学の研究は、人びとがどんな考えを持っていたかを知ることではなく、事柄の真理がどうであるかを知ることをめざす」（『天体論註解』）とは、このような態度の重視をうかがわせる彼の言葉である。

したがって、いま「中間」と言ったばかりであるが、そこにはトマスが両者の間で埋没している平凡な一思想家である、というような意味合いは全くない。かえって両者の間で高く堂々とそびえたっている。トマスはプラトン主義哲学とアリストテレス哲学から織りなされる思考のダイナミズムのうちに、みずからの神学的な思想を見事に開花させている。彼がアリストテレス哲学の「存在」概念を解釈して神を「存在の純粋現実態」として規定し、その上で、次章において論じられることになる鋭い存在解釈を、さらにプラトン主義哲学の「分有」論に結びつけ、神と被造物の関係を、「自存する存在そのもの」と「分有によって存在するもの」の関係として説明しようとしたのは、その最も重要な例の一つである。

以下においては、トマスの以上のような特徴ある思想が形成されることに大きく寄与した、一二世紀ルネサンス以外の他の西欧中世のいくつかの歴史的事実のうち、托鉢修道会、特にドミニコ会が一三世紀初頭に創設されたこと、さらにやがて同会が、パリ大学という当時の学問と教育の中心地へと活動の場所を広げていったことに注目してみたい。

2　托鉢修道会の基本的特徴

†托鉢修道会における使徒的生活の理念とその実践

さて修道会とはごく一般的に言えば、キリスト教において誓願（清貧・貞潔・従順）と呼ばれる特別な誓いを立て、その誓いと戒律に従って生活をする人びと、つまり修道士たちからなる共同体のことである。ドミニコ会とともに、小さき兄弟の修道会（通称フランシスコ会）によって代表される托鉢修道会は、全く新しい種類の修道会として一三世紀初頭に現れた。従来の伝統的な修道会においては後景に退いていた、生活上のある理念を実践したのである。したがって托鉢修道会士たちが送る生活は、当時の人びとの目には、新奇なものにも、刷新されたものにも映っていた。

実際クリュニー修道院は、一〇世紀に始まり一一世紀に全盛期を迎えた、伝統的な修道院の代表である。その発展の頂点に到達したときには、修道院内部において死者追悼のための祈禱を始めとする祈りに専心し、書写活動を主とする手労働には従事しても、農耕のような肉体労働には従事しないことを最良とする生活が営まれた。清貧を旨とすることから、個人の財産が放棄される一方で、所領が修道院の財産として共有されて、以上のような観想的生活を支えるための、農作物や貨幣のような手立てを十分に保証した。

ところが托鉢修道会は、『新約聖書』「使徒言行録」を中心に描かれるような、キリストの使徒たちが送ったと信じられる生活（「使徒的生活」）に回帰することを非常に明確に志向して、独特の徹底的清貧を旨とし、個人の財産はもちろん、共有の財産も全面的に放棄した。同時に観想的生活を蔑ろにしたわけではなく、祈りを大切にする一方で、修道院の外に出て社会の中で托鉢行脚し、出会った民衆から施される喜捨に、自分たちが生きるための糧を頼った。

托鉢修道会はさらに、従来の修道会とは大きく異なり、農村的環境の中にではなく、都市的環境の中に生活と活動の拠点を置いた。この新しい修道会の目には、当時発展著しかった都市の住民たちは、物や富に対して貪欲な、悪徳に染まってしまいかねない人びととして映っており、したがって、説教を通じて福音が宣べ伝えられるべき相手であるように見えていた。説教による福音宣教もまた、この種の修道会が理念とする使徒的生活の重要な一面であった。

†ドミニコ会における説教と勉学の重視

托鉢修道会全体は差し当たり以上のように特徴づけられるとしても、ドミニコ会に固有の、創設当初からの特徴は何かと言えば、その一つは間違いなく、説教をすることばかりか、その準備としての勉学・学問研究に専念することも大変に重んじ、会員にはっきりと求めつづけてきたことである。

そもそもドミニコ会は、グスマンのドミニコ(一一七〇~一二二一)がその仲間とともに、教皇ホノリウス三世(在位一二一六~一二二七)から正式な認可を得て(一二一六年)設立された修道会である。その正式名称に含まれるように、当初から福音を説教することを使命としていた。当時、説教をすることは司教に固有であり、その使命を遂行するにはその認可を得る必要があった。ドミニコは司教ではなく教皇の認可を得ることによって、特定の司教区に限定されることなく自由に説教できるようになることを求めた。

もちろん彼はただ説教ができさえすればよいと考えていたわけではない。説教は優れた、間違いのない正統のものであるべきだとも考えていた。実際彼は一三世紀初頭の南フランスにおいて、当時極めて勢いが盛んであったカタリ派と呼ばれるキリスト教異端の人びとを、キリスト教の正統信仰へと引き戻す活動に従事していた。そのとき、彼らとの接触を機縁として信仰を根源的に見つめ直し、使徒的生活の理念に立ち返り、彼らの間に見られるような無所有の生活を送った。同時に彼は、説教によって彼らを説得したり、討論によって彼らの誤りを論駁したりするためには、新旧二つの聖書や神学的諸著作に関する知識の習得とその深い理解が必要であることを学んでもいた。ドミニコ会の原初会憲が、会員に対して、説教に臨み熱誠をもってそれを行えるようになるためには、時と場所を問わずに勉学に打ち込む必要があると言って、「不断の勉学」を勧告しているのは、この会憲が創設者の以上のような考えも反映するものである以上、当然のことであった。

さらにドミニコが、会の公式な認可を得ると早々に、会員の一部を、主要な大学があるパリやボローニャのような都市へと派遣し、教育を受けさせたことも、以上のように福音を説教するには、豊かな学識が必要であると彼が考えていたことを裏づける。このようにして大学都市に同会の会員を派遣したり修道院を建てたりすることは、同時に、大学で学ぶ学生に、同会の魅力を伝え同会への入会を勧める効果ももたらした。トマスの師となるアルベルトゥス・マグヌス（一二〇〇頃〜一二八〇）とトマスがそれぞれ、パドヴァ大学とナポリ大学で学んでいたときに、ドミニコ会士と知り合い、入会へと導かれることになる土台は、こうして築き上げられていった。

3 パリ大学と托鉢修道会

†パリ大学への托鉢修道会の進出と、在俗聖職者たちとの軋轢の発生

さてドミニコ会はいま触れたばかりであるように、大学世界にいち早く進出し、パリ大学神学部の、一二二九年の時点で一二あった講座、すなわち正教授のポストを、一二三〇年までには二つ獲得するほど勢力を拡大していた。

もう一つの代表的な托鉢修道会であるフランシスコ会の方はどうかと言えば、創設者アッシジのフランチェスコ自身は学問を、聖書の理解に資するものとして捉え、それに対する敬意を抱いてはいた。しかし学問の修得に対しては警戒的であり、仲間を大学世界へ送り込むことには積極的ではなかった。その修得は、書物という当時の高価な贅沢品の所有を必要とする。その意味では彼の清貧の理想に抵触しかねないものだった。とはいえ同会もやがて説教者を養成する上での研究・教育の必要性を認め、創設者の意向とは別に大学世界に進出し、一二三六年

頃には同講座の一つを確保するようになった。

以上のようにして托鉢修道会に所属する神学部教授が出現したことは、托鉢修道会士たちと、それまでパリ大学神学部教授のポストを主に占めてきた、「在俗」と形容される、どの修道会にも所属しない聖職者たちとの間に、深刻な軋轢を引き起こすことになった。

その第一の理由は、後者に獲得可能な講座数が増えたわけではなかったので、前者による講座の獲得は、後者の講座数の減少につながったことに求められる。第二に、前者の学識は後者から見ても豊かなものであったこと、さらに学生が後者の授業を受けるためには、授業料を支払う必要があったのに対して、前者の授業を受けるためにはその必要はなかったことから、後者が前者に学生を取られ、収入を減らしたこともその理由である。第三に、前者は後者ととも に教授団を構成するようになってからも、修道会という大学とは別の組織に直属したままであったので、修道会の意向を優先し、大学の規定に従わないことがあったこともその理由として挙げられる。もちろん基本的には後者は伝統的で保守的な立場におり、したがって後者の目には、前者の修道生活が「新奇」な、弾劾されるべき異端の恐れさえあるものに見える余地があったこともその理由である。

†在俗聖職者たちとの論争の発生と、トマスによる学問研究と説教の肯定論

こうして一二五〇年代には、托鉢修道会士たちを神学講座から締め出そうとする動きが表面化し、さらには托鉢修道会をその理念も含めて激烈に攻撃する者たちが、在俗聖職者たちの中から現れた。その指導者的存在は、神学部教授サン＝タムールのギヨーム（一二〇〇頃～一二七二）であった。ギヨームは彼自身の証言に従えば共同で、その攻撃文である『近時の危険について』（一二五六年）を著した。同書において彼は托鉢修道会士たちを、聖書において預言されている、世の終わりのときに教会に危険をもたらす者たちに結びつけた。例えば、『新約聖書』「テモテへの手紙二」第三章第七節を解釈して、常に学んでいてもいつまでたっても「言葉」の真理の認識にしか到達できず、「生」の真理の認識には到達することができない者たちとして、托鉢修道会士たちを暗々裡に描き出し、彼らを、無益どころか有害でさえある説教を行う「偽説教者たち」であると見なした。

托鉢修道会の存在理由を揺るがしかねない、ギヨームたちからの以上のような激しい攻撃に対しては、フランシスコ会の側からもドミニコ会の側からも、ただちに反論がなされた。後者の会の代表者となり、彼らの議論に取材しながら『神への礼拝と修道生活を攻撃する人びとを駁す』（一二五六年）を著したり、関連のある討論を主宰したりして、托鉢による修道生活を擁

護する論陣を張ったのは、パリ大学神学部教授となったばかりの、少壮気鋭のトマスであった。

同書におけるトマスの反論を少し見ておこう。彼はいま問題になっている聖句を取り上げて、次のように言う。「研究が信仰の真理あるいは正しさから遠ざけてしまうような人びと」の場合には、なるほど先の聖句にあるように常に学んでいても真理の認識に到達できないことが起こる。したがって信仰の真理が、正しく生きることを可能にする真理として生の真理を指すとすると、トマスはギヨームたちの主張を部分的にではあるが承認していることになる。しかしトマスは、研究が信仰の真理あるいは正しさに接近させるような人びとの場合には、そうでないことを示唆してもいる。結局のところトマスはギヨームたちの主張とは反対に、修道者による学問研究が、当人を信仰の真理に接近させることがある、ということを示そうとしている。これは延《ひ》いては、修道者による説教が、当人のその真理に関する学識によって支えられ、教えにかなう有益かつ真実なものとなりうる、ということを肯定し、その説教を擁護することにつながるのである。

†論争の再開と、トマスによる清貧と托鉢の肯定論

トマスが以上のような「托鉢修道会論争」に関与したのは、彼の最初のパリ大学教授時代（一二五六〜一二五九）においてだけではない。その約一〇年後に始まる、つまり彼が思想的成熟

期を迎える、二度目のパリ大学教授時代（一二六八〜一二七二）においてもそうであった。彼はこの時期、ラテン・アヴェロエス主義者たちとも、保守的な神学者たちとも議論を戦わせる一方で、所属する修道会の存否に関わるこの論争にも改めて加わった。

トマスが第一回パリ時代に直面したこの論争そのものは、確かにいったんは収束へと向かっていた。教皇アレクサンデル四世（在位一二五四〜一二六一）が托鉢修道会の側に立ち、ギヨームを断罪し（一二五六年）、彼の側についていた神学部教授団の代表者が、その論争における敗北を公に認めるにいたったのである（一二五七年）。

ところが一二六六年には同種の論争が再燃する兆しを見せていた。パリから追放されていたとはいえ出身地において健在であったギヨームが、『近時の危険について』の加筆増補版のような別の一書を著し、教皇クレメンス四世（在位一二六五〜一二六八）に送った。しかもこの教皇の没後三年間にわたって（一二六八〜一二七一）教皇が新たに選出されず、托鉢修道会側を支持するかもしれないこの高位聖職者の不在が続いたことは、在俗聖職者たちにとって、同会士たちに対する本音を明らかにするのに都合がよかった。このような状況下において、今回は神学部教授アブヴィルのゲラルドゥス（一二七二没）が、在俗聖職者側における中心的な立場を担い、討論を主宰したり説教をしたりして、論争を再開させた。彼はかつての同僚ギヨームの信奉者であり、彼と書簡のやりとりを保っていた。

こうしてトマスは再びドミニコ会の代表者となり、討論を主宰したり説教をしたり、さらには論争的諸著作を著したりして、ゲラルドゥスたちに反論することになった。トマスはこの第二回パリ時代の終わりに『神学大全』第二部の二を著しているが、そこには今回の論争における議論も材料として取り入れている。いまその最後の部分、特に第一八六問と第一八七問に依拠して、今回も主要な論点となった托鉢と清貧という、托鉢修道会の根幹に関わるトマスの見解そのものに触れておきたい。

当然のことではあるが、トマスは托鉢も清貧も肯定し擁護する。そのわけは何であるのか。まず清貧であるが、この特殊な状態は、修道生活が完全なものとなるための第一の基礎として要求される。そもそもこの生活の完成は、キリスト教のいわゆる「最も重要な掟」の遵守、すなわち第一義的には心を尽くして神を、第二義的には自分のように隣人を愛することによってもたらされる。ところが、富や財産となる現世的諸事物が私的に所有されると、その所有者の精神はその諸事物を愛することへと誘い入れられたり、散漫なものになったりして、その人は以上のような生活を完成するのを妨げられかねない。したがって、その生活の完成のためには何よりも、『新約聖書』「マタイによる福音書」第一九章第二一節にあるように、私的な所有物すべてを放棄することが求められるのである。

次に托鉢であるが、この特殊な行為は二つの観点から修道者に許される。第一に托鉢は、謙遜を身につけるための手段として許される。実際托鉢は、他者から食物を受け取らなければならないほどひどく窮乏している状況下にいる人に見られるような、ある種の卑賤さという観念と結びついている。したがってこの行為は、他者を自己の下に置くことを可能にする高慢という悪徳を、最も効果的に打ち砕く。その一方で、この悪徳とは反対に、自己を他者の下に置くことを可能にする謙遜という徳を涵養する。第二に托鉢は、生活の糧を得るための唯一の手段として、あるいは共同の利益をもたらすことをなし遂げるのに不可欠な喜捨を受領するための手段として許される。教会が建造されることや、修道者が聖書の勉学に専念できるようになることが、後者の利益をもたらすことの事例である。

托鉢修道会が、異端を疑われさえした主な理由は、伝統的な修道会には見られない、徹底した清貧と托鉢にあった。トマスは第二回パリ時代においても以上に一部を見たようなその肯定論を展開し、その擁護を通して托鉢修道会がパリ大学神学部において、さらには西欧キリスト教世界において占める地位をいっそう堅固なものとすることに大きく貢献した。托鉢修道会論争そのものは、ギヨームとゲラルドゥスが一二七二年に相次いで死去したことにともない、終止符を打たれた。

†キリスト教的生活の理想の一面

最後に、『神学大全』第二部の二の主に第一八八問に依拠して、トマスが以上のような論争も通して明確にするにいたった、修道生活の最良の理想に光を当てる。これにより、彼の考えるキリスト教的生活の一面を見ることにする。この生活は、アリストテレス『ニコマコス倫理学』第一〇巻にも由来するような観想的生活と活動的生活という用語を用いて論じられる。トマスはこの二種類の生活を、修道生活との関連においてどう説明するのか。

トマスがいま観想的生活と呼ぶのは、主要な意味では神ともろもろの神的事柄を認識あるいは考察することへと秩序づけられている種類の生活である。他方、彼がいまこの生活と対置するところの活動的生活とは、諸行為の中でも、説教や聴罪のような、直接には他の人びとの魂の救済を目的とする行為を主要な行為として、その行為に向けて秩序づけられている種類の生活である。

以上のような生活の区分は、一見すると、神と人間という両極端にそれぞれ専心することが求められる、相互に対立的な二種類の生活があることを意味するように見えるかもしれない。実際トマスが認めるように、活動的生活は観想的生活とは無関係なものとして見出されることがある。前者の生活には、例えば施しものを与えたり、客を迎え入れたりするような、全面的に対外的な活動に存する行為が含まれる。

しかしトマスの強調点はそこにはない。彼が何よりも明確に主張するのは、以上の二種類の生活は、理想的には、いっそう高い次元において連続的・統一的なものとして見出される、ということである。実際彼は、活動的生活の諸行為の中には、観想の満ちあふれる豊かさに発する、教授と説教のような行為が含まれるとして、次のように言う。「ただ輝く〔「光を見る」という異読あり〕だけよりも、照らす方がいっそう優れている。これとちょうど同じように、ただ観想するだけよりも、観想された諸成果を他の人びとに伝える方がいっそう優れている」。

本章の初めにおいて確認したように、『神学大全』第二部は、「アルファ」である神によって創造された人間が、「オメガ」である神へと還帰する動きを主題とする。同書第二部の末尾に置かれたキリスト教的生活の理想は、同書第三部において主題的に論じられるキリストを介さなければならないとはいえ、そのような神へと向かう人間の動きの最高の形態を描き出しているのである。

さらに詳しく知るための参考文献

稲垣良典『トマス・アクィナス』（講談社学術文庫、一九九九年〔原本は『人類の知的遺産20』講談社、一九七九年〕）……トマスの生涯と主な思想に関する詳細な解説、それに彼のさまざまな著作からの豊富な抜粋訳を一冊にまとめている。トマスの全体像を取り押さえるのには大変便利である。

佐藤彰一『剣と清貧のヨーロッパ――中世の騎士修道会と托鉢修道会』（中公新書、二〇一七年）……副題にある二つの修道会の由来と変遷の詳細を明らかにする通史。本章との関連においては第六章から第八章にかけての記述が極めて参考になる。

ジャン＝ピエール・トレル『トマス・アクィナス　人と著作』『トマス・アクィナス　霊性の教師』（保井亮人訳、知泉学術叢書、二〇一八～二〇一九年）……原著は前世紀末の初版刊行以来改訂を重ねてきたトマス研究への浩瀚な入門書。この種のものとしては現時点において最良のものである。

山本芳久『トマス・アクィナス――理性と神秘』（岩波新書、二〇一七年）……トマスの思想をわかりやすく、しかも深く理解できるように周到な配慮をして書かれた、大変優れたトマス研究入門書。彼の根本精神、枢要徳論、神学的徳論、受肉論を中心に論じる。

コラム2 トマス・アクィナスの正義論

佐々木 亘

正義とは何か。この問いは、様々な時代にある種の普遍性を持って人々に迫ってきた。抽象的な議論においても、切迫した状況判断においても、この問いは人間の生き方の根本にかかわっている。そして人類は、この問いに関する究極的な回答には、いまだ至っていない。しかし、法に関する理解から、ある程度の展望は可能である。

たとえば、近年、その過激な政治思想で注目されているパドヴァのマルシリウス（一二七五／八〇～一三四二／四三）にとって、法とは人間が制定した「人定法」であり、正義も基本的に人定法の枠内で語られている。

これに対して、マルシリウスの生誕少し前に亡くなった——すなわち、時代的には近接している——、中世を代表する思想家であるトマス・アクィナスにおいて、法とは何より「自然法」である。人定法は、「ただ自然法から導きだされる場合にかぎり、法としての性格を有する」。自然法とは「永遠法」の分有であり、自然本性的傾きにそくして人間を「共同善」という共同体全体にかかわる普遍的な善へと秩序づける。そして、現実に人間を共同善へと秩序づける徳が「正義」に他ならない。従って、自然法にしても、正義にしても、人間にとって内在的かつ超越的なのである。

正義の特徴は、第一に「他者」にかかわる点であり、ここから正義は分類される。まず、共同体全体としての他者にかかわる正義が「法的正義」であり、人間はこの正義によって共同善へと直接的に秩序づけられる。これに対して、通常の意味での個別的な他者にかかわる正義が「特殊的正義」であり、この正義はさらに、全体の部分に対する「配分的正義」と、部分の部分に対する「交換的正義」に分けられる。

我々の社会は様々な配分と交換から成り立っているから、これらの正義は共同体の根幹を形成している。しかるに、交換に必要な財は、何らかの仕方で前もって配分されていなければならない。したがって、交換的正義は配分的正義を前提にしている。じっさい、神の正義は配分的正義として解され、「神は、おのおののものに、そのものの本性や状態という性格にそくして、そのものにしかるべきものを与える際、正義を為している」。

ただし、個別的な他者の善も共同善へと秩序づけられている。そして、共同善への傾きにそくしているか否かという点から、アクィナスの正義論には明確な方向性が認められる。このことは、現代においてもきわめて重要な意味を有している。「何が正しいか」は、共同善への方向性から判断することが可能であり、そこに個人主義と相対主義を超克する地平が広がっているのである。

第3章

西洋中世における存在と本質

本間裕之

1　歴史の中の中世哲学

†教師アリストテレス

本章で扱われる、一三世紀初頭から一四世紀中頃にかけての中世のヨーロッパにおけるスコラ哲学は、まずはアリストテレス哲学との関係で語られる。このギリシアの哲学者は、初期中世には『カテゴリー論』や『命題論』といった、「オルガノン」と呼ばれている論理学著作の一部によってしか知られていなかった。しかし、一二世紀末から一三世紀頃には、イスラーム世界を経由し、アリストテレスのほとんど完全な著作集がラテン語に翻訳された。この多様な時代と地域の文化の交錯の上で、中世の哲学は一つの転機を迎える。

当時の大学においてアリストテレスは重要な権威の一人として取り上げられ、彼は大文字の

「哲学者」と名指されるようになり、当時の哲学的な書物の至るところで引用された。さらに、中世の学者たちは、オルガノン、『ニコマコス倫理学』、『魂について』、『自然学』、『形而上学』といったアリストテレスの著作を学び、それらの著作についての膨大な量の註解を執筆した。この時代におけるアリストテレスの影響力は絶大であり、ときには彼のテーゼが論証なく真なるものとして前提されたり、また彼の学説に反対するという理由で何らかの主張が棄却されることもあった。こうした意味で、アリストテレスは中世の学者たちの教師であったと言ってもよい。

しかしながら、一般に教師が必ずしも盲従されるべきものではないように、中世の学者たちも常にアリストテレスに従っていたわけではなかった。上で述べたように、多くの場合アリストテレスの議論は高い信頼を獲得してはいたが、全く批判されなかったというわけではない。例えば、ドゥンス・スコトゥスは、アリストテレスに従って誤った結論を導くよりも、アリストテレスに同意せずに正しい結論を導くほうが合理的であると考え、「アリストテレスに賛成であることは、哲学することでもないし、神学的に考えることでもない」（『オルディナティオ』第二巻第三区分第七問）と語っている。つまり、アリストテレスはこの時代の学者たちにとって、学問の規範でも終点でもなく、むしろ一つの出発点であった。彼らを教え導いた教師アリストテレスは、同時に、中世の学者たちが自ら哲学し、神学的に考える上での対話相手、あるいはこう言ってよければ、検討し、格闘すべき第一の相手であった。

†忘却と再開

このように、彼らはアリストテレス哲学を受容し、学びつつ、しかしそこに留まらず独自の哲学を発展させていった。しかし、アリストテレスとの対話の中で組み上げられた緻密な哲学体系は、時として煩瑣なものとして疎んじられ、デカルト以降の時代には、スコラの学者たちがアリストテレスから受け継ぎ、練り上げた諸概念は、ほとんどその名称を残すのみで、その概念と結びついていたはずの学説の多くは忘れ去られてしまった。近世以降には、「スコラ哲学」ということばには数多くの負の印象が刻み込まれ、長らく等閑に付されてきた。

しかしながらこうした事情は、スコラ哲学が哲学史の中で、重要性を欠いた虚無であったということを意味しない。このことはすでにエティエンヌ・ジルソンを始めとする中世哲学史研究の大家によって明らかにされてきたことである。中世哲学が暗闇に覆われたものであったという見解はもはや過去のものとなっている。

また、形而上学の領域に限っても、中世の哲学は現代の哲学と強い親和性を有している。例えば、普遍論争や個体化の原理など、中世の形而上学において繰り返し問われてきた問題が、現代の形而上学において再び問い直されている。また、その際に、アリストテレスの存在論を共通の議論領域としながら、スコラの学者たちが参照されることも少なくはない。このように、中世の哲学は時代に留まらない普遍性を有していると言えるだろう。

2 存在と本質

†存在と本質について

これまでの中世哲学史には、ジルソンが顕著な例であるが、トマス・アクィナスの特異な「エッセ（存在、esse）」についての思想を重視、強調する一つの典型があった。この章では、それとは異なるしかたで、中世哲学がアリストテレスから受け継いだ基本的な概念の一つである「存在（exsistentia）」と「本質（essentia）」を中心に据えて中世哲学を眺めてみよう――山田晶が『トマス・アクィナスの《エッセ》研究』において強調しているように、トマスにおいては「エッセ」の存在と「エクシステンティア」の存在とは明確に区別されている。これらの概念は、本章を読み進める中で明らかになることと思うが、ここで扱われる哲学者たちが〈被造的な世界と私たちとの関わり〉をどのように捉えているか、ということを見通す上での鍵となる。まずはこれらの概念について簡単に説明しよう。

まずは「本質」から始めよう。本質とは、例えば「ソクラテスは人間である」とか「猫とは何であるか」と語る場合に問題となっているものであり、形相として「人間を人間たらしめているもの」「猫を猫たらしめているもの」である。それらはそれぞれ「人間性」、「猫性」という抽象名詞によって名付けられる。また本質は、「何であるか」という問の答えに当たるものであり、そこから「何性《なにせい》（quidditas）」とも呼ばれる。さらに、トマスやスコトゥスの認識理論によれば、私たちが例えば現実に存在している個的な猫を認識し、〈猫〉という概念を形成する際に、知性は本質を認識の対象としている。この認識によって、現実に存在している猫の内に存在している本質が捉えられ、知性の内に存在するようになる。この知性における猫の本質は、現実に存在する各々の猫に「……は猫である」と述語付けることができる普遍的な概念である。

現実にも知性の内にも存在し得る本質は、特に「本性《ほんせい》（natura）」という名で呼ばれることが多い。これはイスラーム世界のアヴィセンナからトマスやスコトゥスが受容した概念である。猫の本性は、現実世界の一匹の猫の内にも、人間知性の内に〈猫〉という概念としても存在し得るが、猫の本性そのものはそのいずれでもない。これが「馬性は馬性でしかない」という、本性についてのアヴィセンナの有名なテーゼの意味するところである。

さて、本質の説明においてすでに断りなく「存在」ということばを用いたが、「存在」については説明がなくとも大方は了解可能であろう。中世哲学においては、上で述べられているように、存在には二つの様態が考えられ、一方が「猫がいる」や「冷蔵庫に牛乳がある」と語る場合のように、現実世界におけるものが問題となる場合であり、他方が、猫が人間知性によって認識されているときのように、「本性が知性においてある」ような場合である。

本質について概観した際に見て取られたことと思われるが、トマスとスコトゥスとにおいては、本質は様々な領域において問われる。例えば、形而上学において問題となることは言わずもがなであるが、認識論においては人間知性の認識対象として現れ、また論理学においては述語付けの問題に関連して問われている。ここで「トマスとスコトゥスとにおいては」と断ったのは、オッカムにおいてはこのように本質が多様な領域において問われることはないからである。そこで以下では、「存在と本質との区別、あるいは同一性」という、中世の形而上学において特徴的な問題領域に対するトマス、スコトゥス、オッカムの反応と彼らの議論を概観することで、彼らの形而上学についての態度を、特に認識論や論理学といった学問領域との関係の中で浮き彫りにすることを目指す。

†トマス・アクィナス

まずはトマス・アクィナスの議論を確認するところから始めよう。研究者の間で完全な一致をみてはいないものの、多くの場合、トマス哲学において存在と本質とは実在的に区別されると言われる。実在的な区別とは、現実世界に区別の何らかの根拠があるような区別のことであり、通常は二つの事物の間の区別として理解される。そしてこの実在的区別は、観念的区別、すなわち人間の知性による虚構の区別と対置されるものである。つまり、トマスによれば存在と本質とは、仮に人間の知性が存在していなくても、事実として何らかのしかたで区別されているということである。ここでは、彼が存在と本質とが別のものであることを比較的明瞭に語っている『存在者と本質について』第四章の議論を辿ることにしよう。当該箇所はトマス解釈において議論の絶えない部分であるが、ここではあまり細かい点に踏み込まず、その大枠を捉えることに専念する。

『存在者と本質について』でトマスが存在と本質との区別を述べる箇所は、質料と複合しない形相である天使が、それでも何らかの複合を有しており、純粋に単純な存在者ではない、ということを証明する息の長い論証の一部である。まず、「本質について理解した内容に含まれない情報は本質にとって外的なものである」ということが議論の大前提として置かれる。「人間は動物である」のように、人間という本質の内に動物ということが含まれているならば、本質について理解した内容に動物という情報が含まれているからである。ところで、「人間やフェニックスが何であるかということは、それらが事物の本性において存在を有するかどうかを知らなくとも知解可能である」とトマスが語っているように、「本質は存在なしに理解され得る」のである。したがって「存在と本質とは別のものである」という結論が得られる。

しかし議論はここでは止まらない。「存在と本質とが同じであるものがあれば、それはただ一つしかない」ということが証明される。それは純粋な存在であり、多数化を可能にするようないかなる条件も持たないからである。そうすると、存在そのものであるような事物を除いては、他のものはすべて存在と本質が別のものである、ということが導かれる。さらにそれに続く議論では、存在そのものであるような事物とは第一原因であり、神であり、可能態を一切含まない純粋現実態であることが証明され、そこから被造物はすべて存在と本質とが別のものであり、神から存在を受け取っている、ということが従う。

以上が、研究者たちによって存在と本質の実在的区別の論証であるとみなされている箇所の議論の概要である。存在と本質とが実在的に区別されるということを確認した上で問題となるのが、トマスにおいて「存在と本質とが実在的に区別される」ということがいかなる意味を持つのか、ということである。『存在者と本質について』の以上の箇所についての論文において上枝美典《うええだよしのり》が注意を喚起しているように、「少なくともトマスにおいて、……存在と本質が、二つの事物として、区別されると主張することは出来ないだろう」(「『デ・エンテ』第四章における存在と本質」、『中世哲学研究 VERITAS』第一一号、六九頁)。こうした意味で、「実在的区別」という術語には曖昧さが残されている。

ここで注目したいのが、本質と人間知性による認識との関わりである。トマスの主著『神学大全』のある箇所で、トマスは存在と本質に関する人間知性の関わり方について、簡潔に以下のように述べている。

創造された知性は自らの本性を通じて、抽象において、何らかの分解というしかたで具体的な形相と具体的な存在を把握するよう本性付けられている。（『神学大全』第一部第一二問第四項第三異論解答）

解釈の上では、それぞれの著作の執筆時期などが問題となるが、『存在者と本質について』と『神学大全』の上のテクストを重ねて理解できるならば、トマスの言う存在と本質との実在的区別は、異なる二つの事物としての区別ではないが、少なくとも二つの異なる概念を知性の内に作り出すことが可能になるような根拠としての区別として理解することができるだろう。このことの意義については後に述べることにするが、こうした思考そのものは、次に述べるスコトゥスと極めて近いものである。

†ドゥンス・スコトゥス

トマスも存在と本質の区別を主題化して論じていたわけではなかったが、ドゥンス・スコトゥスも同様であった。それどころか、存在と本質との区別について、スコトゥスが議論を展開している箇所はごく僅かしかない。それゆえ、研究者の間でも、スコトゥスにおいて存在と本質との間にはいかなる区別が適用されるのか、ということで意見が対立している。しかし、「本質の存在が実在の存在から実在的に分離されることは決してない」(『オルディナティオ』第二巻第一区分第二問)と述べられており、このテクストで語られている「本質の存在」と「実在の存在」とはそれぞれ、本稿での「本質」と「存在」に対応するものであるので、スコトゥスが本質と存在との実在的区別を明確に拒否していたことは明らかである。

しかしながら、このテクストのみから、トマスとスコトゥスとは存在と本質の区別について異なる見解を有していたと結論することはできない。むしろ、後の議論から明らかになることであるが、ここでのスコトゥスの主張は〈存在と本質とは二つの異なる事物であることはできない〉というものとして解するべきであり、トマスのものに近い見解を採用していると考えられる。

スコトゥスにおける存在と本質について論じている研究者リチャード・クロスが重要視する

のは、スコトゥスが個体化の原理について集中的に論じている『オルディナティオ』第二巻第三区分第一部のうちの第三問である。スコトゥスは、本性についてのアヴィセンナの理論を継承しており、本性そのものは現実世界に存在する個的なものではないと考えるため、何らかの本性が現実世界に個的なものとして存在するためには「個体化の原理」が要求されるのである。そして、この第三問では、存在が個体化の原理であるかどうかが問われ、スコトゥスはこれに否定的な解答を下す。以下ではその論拠のうち、存在と本質の区別に関わるものを概観しよう。

ある本質は、一定の体系の内に位置付けられる。例えば、人間の本質は、「人間は動物である」、「動物は生物である」等の述定を辿り、……生物―動物―人間……という一連の系列の中に置かれる。この体系において最も抽象度の高いものは、アリストテレスによれば「実体」というカテゴリーである。そして最も抽象度の高いものが見出されるのと同様、最も抽象度の低いものもこの体系の内に見出される。スコトゥスによれば、それが個別者である。このことは、ソクラテスを例に取れば、「実体」から「ソクラテス」までに至る体系、いわゆる「ポルフュリオスの木」に含まれているあらゆる情報がソクラテスにおける人間の本質には書き込まれていることを意味する。しかしそこに存在は含まれていない。「というのも、「この人間」は、「人間」よりも多く現実的な現実存在を形相的に含んでいることはないからである」(『オルディナティオ』第二巻第三区分第一部第三問)。

こうしたことからクロスは、スコトゥスにおいて存在と本質とは形相的に区別されると主張する。形相的区別は、極めて複雑な概念であるのでここで詳細に述べることはできないが、大まかに言えば、例えば「人間は動物である」や「人間は理性的である」といった命題における〈人間〉、〈動物〉、〈理性的〉という概念が、命題におけるのと同様の規定—非規定関係を保持しつつ、現実の世界において対応者を有する、というしかたで考えた上で、その対応者の間に成立する区別である。つまり、存在と本質とが形相的に区別されると考えることは、現実の世界の形而上学的な構造は、例えば「ソクラテスは存在する」といった命題における概念間の論理学的な構造と、一定の対応関係を有していると考えることである。

確かにジルソンのように、スコトゥスにおける存在と本質との区別を形相的区別であるとは考えない研究者も少なからずいる。しかしながら、存在と本質との区別が形相的区別であると考える限りでは、存在と本質との区別に、人間の知性が関わる論理学という領域が大きく関与しているということになり、その意味でトマスとスコトゥスによる存在と本質との区別に対する態度は似たものである。

†ウィリアム・オッカム

ウィリアム・オッカムにおける存在と本質の区別の扱いについては、先に論じた二人のスコラ学者と少々事情が異なる。というのも、存在と本質の区別について、オッカムは『大論理学』や『七巻本自由討論集』といった著作で、「存在と本質は区別されるか」という問題を立てて主題化して論じているからである。そして彼は、〈存在と本質とは単に観念的にしか区別されず、現実の世界にはその区別の根拠は全くない〉と考え、トマスやスコトゥスとは正反対の立場を採る。そしてその背後には、トマスやスコトゥスとは異なる前提が潜んでいる。

オッカムがこれらの著作において直接批判の対象としているのは、トマス本人ではなく、トマスの説を先鋭化し、「存在と本質とは相異なる二つの事物である」と主張したエギディウス・ロマヌス（一二四三／四七〜一三一六）である。これに対してオッカムは、存在と本質は二つの異なった事物ではないし、また「存在」と「本質」という語は同じものを表示している、と解答する。その際の論拠の一つは以下のようなものである。存在が本質とは別のものであるとすれば、存在は実体であるか付帯性であるかのいずれかである。付帯性であるとすれば、存在は性質であるか量であるかのいずれかであるが、オッカムによればこれはいずれも誤りである。また実体であるとすれば、質料であるか形相であるか、それらから複合されたものであるかのいずれかであるが、これらのいずれもまた誤りである。それゆえ存在と本質とは別のものではない。

存在と本質とが全く異ならないとなると、トマスが存在と本質との実在的区別を論証する際の一つの前提としていた「本質は存在なしに理解され得る」ということが認められなくなる。というのも、オッカムによれば、存在していない本質はまったくの無であることになってしまうからである。「天使の実在は決して天使の本質から区別されない。ただし、ある場合には、実在は本質ではなかった。それはちょうど、……ある場合には、［天使の本質が］無であったために、天使の本質が本質ではなかった場合のようにである」（『七巻本自由討論集』第二巻第七問）。このように、オッカムにおいては存在と本質とは切り離されえない関係にある。

以上のように存在と本質とが別のものではないことが確認されると、オッカムは「存在」と「本質」という語の意味について興味深い指摘を行っている。

> 存在性と実在とは二つの事物ではなく、むしろ、「事物」と「存在」という二つの名称は同じものを表示しているが、一方は名詞的なしかたで、他方は動詞的なしかたで表示しているのである。（『大論理学』第三部第二項第二七章）

オッカムによれば、「事物」（ここでは「本質」と置換可能なしかたで用いられている）と「存在」という名称は、名称としては異なるけれども、一つの同じ事物を違ったしかたで表示しているという。つまり、オッカムにとって「存在」と「本質」とは、文法的な機能のみが異なっている同義語であるということになる。こうして、特定の文において「存在」と「本質」という語が、文の意味を損なうことなく相互に置き換えることができないのは、「存在」と「本質」という名称の表示対象が異なるからではなく、ただそれらの語が有している文法的機能が異なっているからである、ということになる。このことに関して、渋谷克美が「オッカムによれば、このような「存在」と「本質」という」具象語と抽象語の相違はあくまでも文法的、あるいは論理的相違であり、そうした言葉の側での相違を、心の外の事物の側にまで投影して、事物の側にも同様の相違があると考えるべきではない」(『オッカム哲学の基底』四三頁)と指摘していることは重要であろう。つまりオッカムは、トマスやスコトゥスとは違い、人間知性が有している概念や概念間の構造と、実在の世界の形而上学的な構造との対応関係を明確に否定しているのである。

3 本質と形而上学

†認識論・論理学・形而上学

以上でトマス、スコトゥス、オッカムにおいて存在と本質との区別がどのように考えられるのか、ということを概観し、その上で彼らが形而上学を、認識論や論理学といった他の学問領域とどのようなしかたで関係付けているのか、あるいは関係付けないのか、ということを素描した。その成果を改めてここに簡潔にまとめておこう。

トマスにおいては、存在と本質とは実在的に区別される。ただし、この場合の実在的区別とは、二つの相異なるものの間に認められるようなものではなく、むしろ現実の世界に根ざした区別である、という緩やかな意味での区別であると解釈されたのであった。この解釈に基づくならば、トマスは、二つの異なる概念が知性の内に作り出されるための、現実の世界における根拠として、特に認識論との関連においてこの存在と本質との実在的区別という形而上学的なことがらを理解していることになる。

続いてスコトゥスにおいては、存在と本質とが形相的に区別されると解釈される。形相的区別とは、命題における概念間の論理学的な構造と、現実の世界における概念の対応者間の形而上学的な構造とが一定の対応関係のもとにある、ということを保障する概念であると考えられる。それゆえ、存在と本質との形相的区別という、形而上学において考察される事態は、それと同時に、命題における述語付けという、論理学的な問題との関連を有している。

最後にオッカムにおいては、存在と本質との間には、現実の世界において何らの区別もなく、ただ人間の知性が作り出した虚構である観念的な区別のみが措定される。オッカムによれば、

「存在」と「本質」という名称が異なるのは、ただ文法的な機能においてのみであり、それは現実の世界の構造を一切反映してはいない。むしろそれらは現実の世界において、まったく同じものを表示している。オッカムにとっての形而上学は、トマスやスコトゥスが考えるようなしかたで認識論や論理学が関係するようなものではないのである。

このように、トマスとスコトゥスは、存在と本質との区別を「実在的」と呼ぶか「形相的」と呼ぶか、という見た目の上での差異はある——また、学説の詳細な点においても実際大きく異なってはいる——ものの、彼らの見解そのものは、存在と本質という形而上学的な対象を、認識論や論理学という、人間の知性との関わりが生じるような場面の中で捉えようとするという点では類似している。他方でオッカムはそうした立場に反対しており、それら二つの領域を積極的に切り離そうとする。

それでは、形而上学に対するトマス、スコトゥス的な態度と、オッカム的な態度との間の差異には、一体何が関係しているのであろうか。そこには数え切れないほどの要因があると思われるが、その中の一つで、また一定の重要性を持つと思われるものは、本性についてのアヴィセンナの学説の取り扱いである。以下ではこのことについて若干の考察をしよう。

†本性について

第2節の冒頭で本質について説明する際に少し触れたように、アヴィセンナによれば「馬性は馬性でしかない」。すなわち、本性は、現実に存在する個的な存在者でも知性において存在する普遍的な概念でもあり得るが、本性そのものはそのいずれでもない。スコトゥスによる表現を借りれば、「本性は、自然本性的にそれらの全てに先行している」(『オルディナティオ』第二巻第三区分第一部第一問)のである。このように本性そのものは、実在の世界や知性において存在することに対して中立的なものである。

この中立性によって、本性は、現実に存在する個的な存在者としての本性と知性において存在する普遍的な概念としての本性とを規制している。つまり本質は、実在の世界において存在することにも知性において存在することにも先行することで、その両方の領域にいわば浸透している。これは見方を変えれば、形而上学が取り扱う実在の世界と、認識論や論理学が関わる知性の領域とが、そのいずれにも属し得る本質によって媒介されているということである。

トマスやスコトゥスにおいて存在と本質との区別という形而上学的な事態が、認識論や論理学という、人間知性と関わる領域との関係の中で考察されるのは、彼らが本性についてのアヴィセンナの理論を継承していたことが大きく関係している。

他方でオッカムはこうした本性の理論を受け入れることはない。彼は、スコトゥスの個体化の理論を批判するに際して、このような本性を真っ向から否定し、現実の世界に存在するいかなるものも、自らによって個的なものであると主張する。それゆえ、オッカムにおいては、いかなる本質もそれ自体で個的なものとして存在する本質であるのだから、「存在することに先行した本質」なるものは考えられ得ない。そのようなものはまったくの無なのである。こうしたオッカムの態度はいわゆる「唯名論」として評価されるものである。

このような思考に則るならば、本質を、トマスやスコトゥスのように、形而上学と認識論、論理学とを媒介する架け橋のように考えることは不可能になる。こうなると、オッカムのように、概念やことばの用法といった知性においてある構造は、実在の世界の形而上学的な構造と明確に区別され、原則としてそれらの間に何らの対応関係も考えない、という立場を採るに至るのである。

以上のように、本質の捉え方と形而上学に対する態度とは、いずれが因であり、いずれが果であるのかを決定することは困難、あるいは不可能であるかもしれないが、少なくともそれらの間にはコインの裏表のような関係が見て取られる。こうして私たちは存在と本質との区別の問題から、各々の哲学者の形而上学という学知に対する態度がいかなるものであるかを垣間見ることができたのである。

†中世哲学における本質

以上見てきたように、存在と本質というアリストテレス的な概念の上に、本性についてのアヴィセンナの学説が交差することで、一三世紀から一四世紀の代表的なスコラ学者たちの形而上学は多様な発展を見せている。これら二つの概念、とくに本質に関しては、これまで考察してきたような意味で、各々の哲学者による形而上学的な探究の要となるような概念であることが明らかとなった。

また、本質はここで取り上げたような存在と本質との区別の問題以外にも多様な問題と関わっている。例えば、個体化の原理についての問題は、多くのものに共通である本質がいかにして特定の個別者として存在するのかを問うているし、人間知性による抽象認識についての理論は、知性認識の対象である本質がどのようなプロセスで人間知性において普遍的な概念として存在するようになるかを記述するものである。それだけでなく、中世哲学において最も有名であると思われる普遍論争は、特に一三世紀頃においては、まさしくアヴィセンナ的な本質を巡るものとして哲学史的に整理されるものである。これらの問題に対する取り組み方も、存在と本質との区別の問題と同様、本質に対する理解に応じて変化する。アヴィセンナ的な本性を認めないオッカムにとって、本質はそれ自身で個別者であるのだから、個体化の問題はもはや問われる必要のないものであり、また普遍的な概念も、知性において存在する本質であるとは考えられなくなり、トマスやスコトゥス的な抽象理論とは違った認識理論が提唱されるようになるのである。

形而上学に対するオッカムの態度は、同時に論理学にも大きな影響を与えることになると考えられる。オッカムにおいて論理学が形而上学的な考察から切り離されたということは、同時に、論理学が形而上学の単なる道具であることをやめ、独立した地位を獲得したということを意味する。オッカムの論理学がトマスやスコトゥスには見られないしかたで発展を遂げている背後には、トマス、スコトゥスとオッカムとの間にある形而上学に対する態度の差異が潜んでいると言えよう。

このように、トマス、スコトゥスからオッカムにかけての哲学的な思考の変化を大きな枠の中で捉えるとするならば、その変化の一つの中心は、本質に関する理解の変化にほかならなかったのである。

さらに詳しく知るための参考文献

神崎繁、熊野純彦、鈴木泉編『西洋哲学史Ⅱ 「知」の変貌・「信」の階梯』（講談社選書メチエ、二〇一一年）……中世哲学に関する最も手に取りやすい論文集。

渋谷克美『オッカム哲学の基底』(知泉書館、二〇〇六年)……オッカムの哲学を理解する上で基礎となる文献。

上智大学中世思想研究所編訳『中世思想原典集成18 後期スコラ学』(平凡社、一九九八年)……スコトゥスとオッカムの基本的なテクストの翻訳を含む。

山内志朗『普遍論争』(平凡社ライブラリー、二〇〇八年)……普遍論争を含む、中世哲学の様々な話題について触れられている。巻末の中世哲学人名小事典も充実している。

第4章　アラビア哲学とイスラーム

小村優太

1　イスラーム地域への哲学の伝播

†アラビア哲学なのかイスラーム哲学なのか

九世紀にアッバース朝はカリフや有力者の後援によって先進的なギリシアおよびペルシアの知識をアラビア語に翻訳し始めた。そのなかには医学や天文学の書物も多く含まれていたが、ひときわ目を惹くのが哲学（ファルサファ）と呼ばれる文献群である。このファルサファという語は当然ながらギリシア語フィロソフィアの音写であり、哲学というものがギリシアという、アラブ人たちから見て外来の文化と深く結びついていたことをよく表している。当時の人たちにとって哲学とは、論理学や自然にかんする諸学問、数学や天文学を含むきわめて巨大な学問体系であり、その中心にはアリストテレスがいた。ボエティウスの刑死によって途中で頓挫したアリストテレスのラテン語翻訳計画と異なり、基本的にすべてのアリストテレス作品がアラビア語に翻訳された。

またプロティノス『エンネアデス』やプロクロス『神学綱要』といった新プラトン主義文献がそれぞれ擬アリストテレス『アリストテレスの神学』、『純粋善について』（ラテン語名『原因論』）として翻訳され、アリストテレスを新プラトン主義的に解釈するという後期古代アレクサンドリアの伝統が引き継がれた。他方でプラトン自身の作品は対話篇形式が敬遠されたのか、直訳はほとんど存在せず、ガレノスによる『ティマイオス』の論文形式への翻案（ギリシア語では散逸）はよく読まれていた。また、このような大規模な翻訳活動にもかかわらず、ホメロスの叙事詩やその他の文学作品はほぼ翻訳されておらず、当時のアラブ人たちが翻訳すべき作品とそうでない作品をかなり意図的に選り分けていたことがわかる。

それでは、九世紀のアッバース朝で生まれた、この哲学の営みをどう呼べば良いのだろうか。この問題は見た目以上に込み入っている。当時のイスラーム社会において、ギリシア語からアラビア語への翻訳活動に従事したのはキリスト教徒が中心であり、ときにその翻訳はシリア語を媒介としていた。また哲学の営みに実際に携わった哲学者もペルシア系出自の者が多く、純粋なアラブ人は思いのほか少ない。このような状況で全体としての哲学を統合していたのは、地域の共通語であったアラビア語であり、そのため近年ではこの地域の哲学を「アラビア哲学

（Arabic Philosophy：より正確にはアラビア語哲学）」と呼ぶことが提唱されている。他方で、イスラーム思想研究者のアンリ・コルバン（一九〇三～一九七八）は、一一世紀以降にはペルシア語やトルコ語での哲学作品の執筆も増えてきていることに鑑みて、アラブ人、ペルシア人、トルコ人たちが各々の言語で展開するこの哲学的営為を「イスラーム哲学」と呼ぶべきだと主張した。

つまり、もしこの地域に生じた哲学をアラビア哲学と呼ぶならば、一一世紀以降にペルシア語やトルコ語で営まれた哲学を無視してしまうことになるし、イスラーム哲学と呼ぶなら、アッバース朝下で活躍したキリスト教徒やユダヤ教徒の学者たちを無視してしまうことになるのだ。

†外来の学としての哲学

アラブ人にとって哲学が外来の学問であったことを良く表す出来事があった。九三二年に、シリア系キリスト教徒の論理学者アブー・ビシュル・マッター（八七〇頃～九四〇）と、アラビア語文法学者アブー・サイード・シーラーフィー（八九三／四～九七九）のあいだで哲学にかかわる論争がおこなわれたのだ。大臣や有力者たちが臨席するなかで実施されたこの公開討論は、アリストテレスの論理学とアラビア語文法学のどちらが優れているかという問題をテーマにしていた。

アブー・ビシュルはアリストテレスの論理学の普遍性を強調することによって、普遍的な学としての哲学の優位性を主張するが、アブー・サイードは、アリストテレスの論理学は普遍的でなく、あくまでもギリシア語でしか成り立たないと反論する。もしギリシア人の論理学を学ぶべきだということであれば、真理はギリシア人のところにしかなかったことになり、ギリシア人を自らの審判者として戴くことになる。アブー・ビシュルは「四足す四は八」であることを引き合いに出し、知性によって把握される知識はすべての時代、すべての民族にとって同じであると述べるが、アブー・サイードは、そもそも言葉によって取り扱われる問題は必ずしも数学の命題のように明白な形に還元されるわけでなく、それは詭弁だと批判する。アブー・サイードによれば、アブー・ビシュルが論理学を学ぶように勧めるのは、ギリシア語を、そしてギリシア語文法学を学ぶように勧めていることと等しい。しかもアブー・サイードは、アブー・ビシュル自身がギリシア語を解せず、シリア語やアラビア語の翻訳でアリストテレスを読んでいることを揶揄する。

アブー・サイードの主張はつまるところ、外来の「ギリシア語文法学」でなく、アラビア語文法学を学ぶべきだというものであった。伝えられるところによると、この討論はアブー・サイードの圧勝だったという。そもそもシリア系のアブー・ビシュルはアラビア語の習熟が完全でなく、しかも吃音をもっていたこと、観衆が最初からイスラーム固有の学問であるアラビア語文法学を支持するアブー・サイードに味方していたことなどを描くとしても、この討論はアラビア哲学がもつ普遍性への強い憧れと、外来の学問に対するイスラーム社会の抵抗をよく表している。必然的にギリシア語からの翻訳に基づかざるを得なかったアラビア哲学は、少なくともこの時点において、自然言語の豊かさよりも人工的に組み上げられた普遍的な論理を志向していた。

†イスラームに固有の学問

それでは、イスラームに固有の学問とは何だったのだろうか。アラビア語文法学は言うまでもなく、そこには法学や神学が含まれる。とりわけ神学は、ときに哲学と敵対しながら微妙な相補的関係を続けていった。イスラームにおける思弁神学（カラーム）の成立には不明瞭なところが多い。思想的には初期イスラームのカダル派論争に淵源すると考えられるが、その論述形式については、当時シリア地域に存在していたキリスト教の修道士たちから大きな影響を受けたとも言われる。

いずれにせよ、最初期の神学者ワーシル・イブン・アターウ（七〇〇～七四八）とアムル・イブン・ウバイド（七六一没）たちのグループはムウタジラ派と呼ばれるようになった。彼らは神の一性（タウヒード）と正義（アドル）を主要なテーゼに掲げ、純粋な一神教を論じたが、その理性重視の姿勢はときに伝統主義者たちとの軋轢を生むことにもなった。ムウタジラ派が論じたテーマはきわめて幅広く、その議論は神学的内容だけでなく、論理学や自然学もカバーしている。自然学にかんして彼らは原子論を主張しており、それは後にアリストテレス的な質料形相論を展開する哲学者たちから批判の対象となると共に、ムウタジラ派を超えて広く神学一般の基本テーゼへと展開していった。

ムウタジラ派に転機が訪れたのはアッバース朝のカリフ、マアムーン（在位八一三〜八三三）の統治の終盤だった。智慧の館を建設するなど、外来の学問の吸収に熱心だったマアムーンは、ムウタジラ派をアッバース朝の公式神学に指定する。ムウタジラ派の公認に伴いマアムーンは異端審問（ミフナ）を開始した。彼らの主要テーゼ「コーランは被造物である」を掲げ、これに反対する神学者や伝統主義者たちは多く投獄されることになった。結局この異端審問の嵐は、ムタワッキル（在位八四七〜八六一）によって八四八年に終わらされるまで一五年のあいだ続くことになった。

†哲学とイスラームは融和する

マアムーン、ムウタシム（在位八三三〜八四二）、ムタワッキルの三人のカリフに仕えた名門アラブ人キンダ族出身の哲学者キンディー（八〇〇頃〜八七〇以降）は、一方で外来の学問が熱心に吸収され、一方でムウタジラ派に反対する者が弾圧される時期に哲学を熱心に取り入れようとした。彼は、外来の学問であった哲学を、真理の探究においてイスラームと合致するものであると擁護した。彼はその主著『第一哲学について』で以下のように述べている。

それゆえ真なる一者は質料も、形相も、量も、性質も、関係も持たず、他のいかなる概念によっても記述されず、類も、種差も、個体も、特性も、一般の付帯性も持たない。それは動かず、真の意味で一であることが否定されるいかなるものによっても記述されない。よってそれは純粋な一性のみである、つまり一性以外の何ものでもない。そしてそれ以外のすべての一なるものは多である。(『第一哲学について』第四章)

哲学的に見れば、この主張はきわめて新プラトン主義的であるが、他方で神の一性を強調するムウタジラ派の主張とも奇妙に合致する。キンディーが果たしてムウタジラ派を奉じていたかというのは多くの者の興味を惹く問題であるが、現存する資料から確定的なことは言えない。またキンディーは自らが哲学者や翻訳者のサークルを率いており、そこで多数の著作をアラビア語に翻訳させた。なかでも有名なのは、プロクロス『神学綱要』を再編集し翻案した擬アリストテレス『純粋善について』である。『純粋善』はたんにプロクロスの思想をアラビア語に移しただけでなく、一神教的な世界観に合致しない箇所は大胆に読み替えられている。真なる一者、つまり神を一のみとし、正統的な新プラトン主義の立場を保持した『第一哲学』より更に一歩踏み込んで、『純粋善』では一者が存在と同定されている。この神＝存在という小さな読み替えは、アラビア哲学の歴史に無視できない方向づけを与えている。全三一章で構成されているこの小篇は後に『原因論』としてラテン語訳され、ラテン世界にも大きな影響を与えることになった。

2 アヴィセンナによる哲学統合プロジェクト

†新プラトン主義的アリストテレス哲学の大成者

サーマーン朝支配下のブハーラー（現ウズベキスタン）近郊に生まれたペルシア系の哲学者アヴィセンナ（イブン・シーナー、九八〇～一〇三七）は、新プラトン主義的傾向をもったアリストテレス哲学の大成者として知られる。激動の時代に翻弄されたこの哲学者は、独立不羈の気質をもち、様々な王朝を渡り歩き、生涯を旅に過ごした。アヴィセンナは一七歳のときに『要約形式による魂論』を執筆し、哲学者としてのキャリアを開始する。またサーマーン朝スルターンの病を治療した功により、ブハーラーの図書館を利用する許可が与えられ、そこで彼は古今の珍しい書物を読むことができた。若年から天才を発揮したアヴィセンナは『自伝』のなかで、一八歳のときで自分の学習はすべて完成したと嘯《うそぶ》いている。

アヴィセンナの哲学学習において、きわめて有名なエピソードが存在する。それは、彼がアリストテレスの『形而上学』を四〇回読んでも理解できなかったという話である。何度も繰り返し読み、内容を暗記してしまうほどだったというが、その目的や意味を理解できなかった彼は、形而上学の勉強をやめようと決意する。しかしある日、市場でファーラービー（八七〇頃〜九五〇）の小篇『形而上学の意図』を読んだところ、たちどころに理解ができたという。このエピソードは、アヴィセンナほどの天才にとっても『形而上学』は難解だったことを示す逸話としてよく紹介されるが、ディミトリ・グタスによれば、このエピソードはアラビア哲学における『形而上学』の受容を念頭に置かなければ理解することができない。

アリストテレス自身が『形而上学』において「神的な学」と呼んでいるように、アラビア語において形而上学は「神学（イラーヒーヤ）」と呼ばれていた。これはキンディーによる、イスラームと哲学は合致するという運動とも符合する。しかしそのため、アヴィセンナは『形而上学』を神について論ずる書だと勘違いしてしまった。実際のところ、『形而上学』で神について語っているのはラムダ巻のみである。他方でファーラービーは『形而上学の意図』において、形而上学というのが存在を扱う学問であることを明示する。これによってたちどころに『形而上学』の真の意図を理解したアヴィセンナは欣喜雀躍《きんきじやくやく》し、その足でモスクに喜捨を捧げたという。

†哲学すべての分野を網羅する

アヴィセンナの哲学は先にも述べたように、アリストテレス哲学である。正確に言えば擬書『アリストテレスの神学』や『純粋善について』といった新プラトン主義と混淆したアリストテレス哲学であり、学問全体のカリキュラムは後期古代のアレクサンドリア学派を受け継ぐものであった。彼はその伝統において、哲学に含まれる学科をすべて網羅した著作を一人で作り上げることになった。それが彼の主著『治癒の書』である。弟子のジューズジャーニー（一〇七〇没）によると、多忙な師匠アヴィセンナは、これまでのアリストテレス学派の学問とその学説をすべて網羅した著作を書くことによって、弟子たちがわざわざ師匠に質問する手間を省くことを可能にするような教科書を用意したという。一五年以上にわたり書き継がれたこの大著は論理学、自然学、数学、形而上学の全四部から構成されており、文字通り当時のあらゆる思弁的学問を網羅したものになっている（医学や工学といった実践的学問は含まれていない）。

ディミトリ・グタスによれば、このような学問体系はすでに後期古代の頃から想定されていたが、一人の人間が統一的な哲学観に基づいてすべての学問を含む、いわゆる「大全」を書き上げるというのはアヴィセンナ以前に例がないという。彼は『治癒の書』以降も『救済の書』、『アラーウッダウラの哲学』、『示唆と警告』、『東方哲学の書』、『公正なる判断の書』といった哲学大全を作り上げる（後者の二篇は散逸し、部分的にのみ現存）。ただし、数学にかんする学派的論争はもはや存在しないという理由で、『救済の書』以降の大全から数学のセクションは省かれている。

†存在と本質の区分

アヴィセンナの存在論において、もっとも有名であり、かつ後世の毀誉褒貶の激しいものとして、存在と本質の区分を挙げることができるだろう。彼は『治癒の書』の形而上学セクションの第五巻で普遍者の説明を開始する。アヴィセンナによれば、普遍者というのは多数のものについて言われるものであり、それは「人間」や「馬」のように、実際に多数のものについて言われるものだけでなく、七角形の家のように、現実に存在していなくても多数のものについて言われ得るもの――もし七角形の家がこの世に複数存在していれば、それらはすべて七角形の家と呼ばれる――、そして太陽や地球のように、現実にはひとつしかなくても、概念的には複数存在することが可能であるもの――太陽や地球は定義上ひとつなのでなく、偶然ひとつなだけである——も含んでいる。

よって、普遍者は普遍的である限りで何らかのものであり、そこに普遍性が付随するものである限りで〔べつの〕ものである。(……)もしそれが人間や馬であったなら、そこには普遍性とはべつの意味、つまり〔馬の場合〕馬性がある。というのも、馬性の定義は普遍性の定義でなく、普遍性は馬性の定義に含まれないのだから。というのも、馬性は普遍性の定義を要しない〔自足的な〕定義を持つが、そこに普遍性が付帯するのだから。というのも馬性の定義そのものには、馬性以外のいかなるものもまったくないのだから。というのも馬性の定義そのものには、それが馬性に含まれるという仕方では、「ひとつである」も「多である」も、「個物のうちに在る」も「魂のうちに在る」も、それらのうちに「可能的に在る」も「現実的に在る」もないのだから。むしろ〔それらの性質が加わるのは〕それが馬性のみである限りにおいてなのだ。むしろ「ひとつである性」は、馬性に結び付けられた属性である。よってその属性を備えた馬性は「ひとつ〔の馬性〕」である。同様に、その属性を備えた馬性は、そのうちにあるほかの多くの属性を持っている。よって馬性はそれが定義上多くのものに当てはまるという条件で、一般者である。そしてそれは、それについて指示される諸々の特性や付帯性と共に把握されるのだから、特殊者である。よって馬性はそれ自体においては、馬

性のみなのである。(『治癒の書：形而上学』第五巻第一章)

目の前に馬が五頭いたとする。それらの馬はそれぞれ個物としての馬であり、それらすべてに適用可能な概念として、我々は普遍的な馬という概念を考える。しかしアヴィセンナに言わせれば、実はこの普遍的な馬が馬性そのものというわけではない。普遍的な馬という概念が普遍的であることの条件は、それが目の前にいる五頭の馬、多数の個物について言われることができることである。しかし馬性そのものに、実は「多数の個物について言われることができること」は含まれない。同様に、「ひとつ」や「多数」や「外界に存在する」や「頭の中に存在する」や「白」や「黒」や「栗毛」や「雄」や「雌」など、このような属性はすべて馬性そのものにとって外的な付随物である。馬性、つまり馬であることの定義とは、まさに馬性だけなのである。そのように見てみると、外界にであろうが、頭の中にであろうが、馬が存在していることは、馬性そのものに付随する属性のひとつに過ぎない。

もちろん我々が馬性について考えるとき、我々は大抵の場合、何らかの馬のイメージを頭の中に結んでしまう。「馬そのもの」を想定するとしても、それはおそらく一頭であり、何らかの姿形を身にまとっており、そして頭の中に存在している。だから現実的に馬性は、何らかの形で存在をつねに伴っていると言えるかもしれない。しかし馬性それ自体として見た場合、それは馬性でしかないのだ。

以上のアヴィセンナの議論は、本質に比べて存在を付帯的なものと見なしているとして後世の哲学者たちから大きな非難を浴びた――その代表的な批判者として、スコラ哲学においては中期以降のトマス・アクィナス、イスラーム世界においてはムッラー・サドラー（一五七一／二〜一六四〇）を挙げることができる。実際にアヴィセンナ主義者のなかには、存在を明示的に付帯的なものと見なす者も存在する。しかし、アヴィセンナ自身が果たして存在を本質にたいする付帯性と考えていたのかは、研究者たちのあいだでも意見が分かれるところである。

3　宗教と哲学の対立

†「哲学の批判者？」ガザーリー

セルジューク朝支配下のトゥースに生まれたペルシア系の神学者ガザーリー（一〇五八頃〜一一一一）は、アシュアリー派神学者ジュワイニー（一〇二八〜一〇八五）のもとで学び、宰相ニザームルムルク（一〇一八〜一〇九二）の推挙により、若くしてバグダードのニザーミーヤ学院のシャーフィイー派法学教授になった。才気に溢れるガザーリーは神学のみでなく哲学も学び、哲学者たちの議論を哲学に基づいて批判しようと試みた。

ガザーリーにとって、哲学者を批判するさいに「コーランにこう書いてあるから」と言うのは下策である。そのような批判は哲学者にとって痛くも痒くもない——しかし多くの神学者による哲学者批判はこのレベルに留まっていた。ガザーリーは言う、哲学者たちが使用する論理に則って、彼らの議論がその論理に照らしてみても矛盾していることを示してこそ、真の意味での哲学者批判が可能なのだと。そのためにまず彼は、哲学者たちの議論の概要を読者が理解できるように『哲学者の意図』という著書を用意し——ただしこれは実際には、アヴィセンナのペルシア語作品『アラーウッダウラの哲学』のアラビア語訳だった——、それから哲学者の述べる二〇の命題を批判する『哲学者の矛盾』を書き上げた。以前はこのガザーリーの哲学者批判によって、イスラーム地域における哲学は完膚なきまでに批判され、壊滅状態に陥ったという説明がされていたが、近年はどうもそう単純な話ではないことがわかってきている。

ガザーリーは哲学者の二〇の命題を批判しているが、それは逆に言えば、それ以外の命題は問題ないということでもあった。実際にガザーリーは自然学の大部分と論理学はイスラームにとって問題のないものであり、このような部分まで論難する神学者のことを、むしろイスラームに害をなす者と批判している。彼にとって絶対に批判しなければならないのは、神を取り扱う形而上学と、自然学のなかでも魂にかんする部分だった。ガザーリーは『哲学者の矛盾』で取り上げる二〇の命題のうち、とくに三つの命題を唱える者については、不信仰（カーフィル）に相当するとまで述べている。以下では、ガザーリーが批判した三つの命題について詳しく見ていくことにしよう。

†世界は始まりをもたないのか

イスラームやキリスト教のような一神教にとって、世界は神が創造したものである。一方でアリストテレス哲学において、世界は始まりもせず終わりもしない。場としての世界は無始無終であり、そのなかで様々な存在者が生成消滅を繰り返すだけである。よってこの問題はガザーリー以前、後期古代の地中海世界においても哲学者とキリスト教徒のあいだで論争の的になっていた。さらにアヴィセンナはより新プラトン主義的な解釈をおこなっており、創造とはそれ自体において非存在なものを基礎づけ続けることであると述べている。この解釈によっても、世界が無から有へと転換したとは言えず、世界はつねに神によって基礎づけられている。

一方でガザーリーは『哲学者の矛盾』の第一問題で、世界が始まりをもたないという哲学者の議論を俎上に乗せるが、そこにおいて世界が創造されたことを証明しようとしない。彼はただ、哲学者たちによる議論を論駁するだけである。ガザーリーは哲学者と神学者による想定問答をおこなうことによって、世界に始まりはないという議論に対して、ひとつひとつ論拠を崩してゆく。そしてすべて論駁し終わったところで彼は議論を終える。想定問答における哲学者は言う、君たちはすべて難問に難問をぶつけているだけで、哲学者による問題提起に応えていないと。しかしガザーリーは次のように嘯く。

我々が本書で引き受けているのは、彼らの矛盾を露わにするものによって、彼らの教説を動揺させ、彼らの論証の面目を失わせることに他ならない。我々は特定の教説を擁護しようとしておらず、そのため本書の目的から逸脱することはなかったのだ。（『哲学者の矛盾』第一問題）

もちろんガザーリーにとって、世界は創造されたものである。しかし『哲学者の矛盾』という書物にとって大切なのは、哲学者の議論の矛盾点を指摘することであって、彼自身の教説を確立することではない。実際に本書におけるガザーリーの論旨には「必ずしもそうとも言い切れない」というものが多く、場合によっては「言っている内容そのものは間違っていないが、それは理性で証明しきれない」というものまであるという事実は、『哲学者の矛盾』という書物の論争的性格をよく表していると言える。

†神は個物を認識するか

続いて第一三問題では、神が個物を認識するかという命題が問われる。アリストテレス自身に遡れば、アリストテレスの神、つまり不動の動者は他者に興味を一切持たず、つねに自己自身を観想している。ただしアフロディシアスのアレクサンドロス（二世紀）以降、アリストテレス学派においても神は世界に関心を持ち、摂理をはたらかせている。アヴィセンナも同様に、神は世界に存在する様々な個物を知ると考える。しかし彼は、神は身体を持たぬ普遍的な存在なのだから、そのような神が個々の存在者を個別的に知るのは道理に合わないと考え、「神は個物を普遍的な仕方で知る」と主張した。

ガザーリーにとってこの主張はイスラームの根幹を揺るがしかねない危険性を孕んでいた。なぜなら、神が普遍的な仕方でしか個物を知らないのであれば、神はザイドとアムルのそれぞれについて、「ザイドは人間である」、「アムルは人間である」という仕方でしか知らないことになる。そうであれば、たとえばザイドがある時に悪人であり、その後に善人になったことや、彼が生きているあいだにおこなった数々の行為もすべて、神にとってまったく与り知らぬということになる。それでは人間の死後の賞罰を、神はどのようにして決定することができるのか？　イスラームという観点から見ればガザーリーの批判はもっともである。

ただし、アヴィセンナにとって、人間の救済は神が個別的に介入しておこなわれるものではなかった。そもそもアヴィセンナの世界観では、すべての魂は本質的に死後神のもとへ帰還するのであり、個々の魂によって違うのは、肉体からの浄化にかかる時間だけである。多くの人々は、本当は仮の衣服に過ぎない肉体をあたかも自らの本質だと思い込んでいるため、肉体的な死をまるで自分自身の死であると勘違いしてしまう。この錯覚から抜け出すまで、魂はまるで地獄のような苦しみを味わう。しかしそれもいつか終わる。魂は最終的に、自分自身は魂なのだということに気付き、救われる。神はただ、条件が整った魂が救われるように世界を設計しておけば十分であり、個々の人間に個別的に介入する必要はない。しかしアヴィセンナのかくもオプティミスティックな救済観が、イスラームから見て許容できないものであるのは言うまでもない。

†死後に肉体が復活するか

『哲学者の矛盾』の第二〇問題では、死後の肉体の復活が取り扱われる。イスラームやキリスト教において、世界の終わりには最後の審判が行われ、そこでは死者の肉体が復活し、神によって裁かれるという。一方で哲学者たちは、人間の本質を魂だと考えていたため、死後に肉体が復活する必要性を感じないし、一度滅んだ肉体がそっくりそのまま再生するというのは矛盾であるとした。彼らにとって、コーランに描かれている天国での美酒や美食の描写はすべて比喩に過ぎず、実際に死後の魂が享受するのは知性的快楽に他ならなかった。

ガザーリーは、肉体的快楽よりも知性的快楽の方が優れていること、死後に魂が知性的快楽を享受することを認めながらも、それが理性のみによって知られ得ることを否定する。また哲学者による、もし肉体が復活するとしたら、それは人体の発生プロセスに従って、胚から胎児へと徐々に形作られていかなければならないという問題提起に対しては、たしかに人体の発生はそのようなプロセスを辿らなければならないが、神は自然法則を自由に変更することができるのだから、その期間を一瞬へと短縮することが可能であると論駁する。

4　その後の展開

ガザーリーの哲学者批判によって、イスラーム地域における哲学は途絶えてしまったのだろうか。実はまったくそうでなかった。まずガザーリーの批判は、彼自身が喧伝するほどには徹底的でない。哲学者たちの主張の内容自体は受け入れながら、その論証が理性によってのみでは不可能である——よって聖法に頼らなければならない——という論法では、到底哲学者たちを納得させることはできなかっただろう。またガザーリーは道具としての論理学の有用性を認めていたため、彼自身の神学においてもアリストテレス的論理学を積極的に取り入れていった。するとどうだろうか、ガザーリーの没後ほどなくして、神学者たちの使用する言語が著しく「哲学化」していったのだ。ガザーリーの意に反して、神学者たちはアヴィセンナの著作を広く読むようになっていた。

いつの間にか神学者たちの議論には、アヴィセンナ的な用語や概念が満ち溢れるようになっていった。そして皮肉なことに、神学の哲学化に大きな貢献を果たしたのが、当のガザーリー自身だった。彼が『哲学者の矛盾』によって批判した二〇の命題は、逆に言えばそこを逸脱しなければイスラームにとって問題ないというガイドラインの役目を果たしていた。ガザーリーの哲学者批判は、哲学者たちにとっては、ここまでなら論じても良いという、神学者たちにとっては、ここまでなら哲学の議論を取り入れても良いという基準を与えることになったのだ。

この神学の哲学化という流れはアシュアリー派神学者ファフルッディーン・ラージー（一一五〇〜一二一〇）において完成すると言われる。彼はアヴィセンナの『示唆と警告』に批判的注釈を書き、その後イスラーム地域において哲学と神学は融合していった。

キンディーが一生懸命に取り入れようとし、ファーラービーやアヴィセンナによって発展させられたアラビア哲学は、あくまでも僅かな知的エリートのためのものに過ぎなかったという一面も否定できない。哲学者たちは多くが科学者や医者を兼ねており、支配者たちの側近として仕えていたが、そこには一般社会との断絶があったことも確かである。ガザーリーが敢えて批判しなくとも、イスラーム地域において哲学は一部の知的エリートの専門知識に留まっていたかもしれない。ガザーリーはその哲学に対し期せずして、イスラームという宗教にとってここまでは大丈夫で、ここからは問題であるという境界線を引いたのだ。見方によっては、ガザーリーは「アラビア哲学」を「イスラーム哲学」へと転換させることで、イスラーム地域における哲学を救ったとも言えるだろう。

さらに詳しく知るための参考文献

『中世思想原典集成11　イスラーム哲学』（竹下政孝編、平凡社、二〇〇〇年）……そもそも一次文献に触れる機会がすくないこの分野において、様々な文献の和訳が収録された貴重な本。再編集版『中世思想原典集成　精選4　ラテン中世の興隆2』（上智大学中世思想研究所編訳、平凡社ライブラリー、二〇一九年）には残念ながら二篇しか収録されていない。

アンリ・コルバン『イスラーム哲学史』（黒田壽郎、柏木英彦訳、岩波書店、一九七四年）……アンリ・コルバンの本は強烈な「コルバン史観」に貫かれており、その点は注意が必要であるが、統一的な歴史観に基づいて一人の著者によって描かれた思想史として読めば名著である。

ガザーリー『哲学者の自己矛盾』（中村廣治郎訳、平凡社、二〇一五年）……本章で取り上げた、ガザーリーによる哲学者批判の全訳。姉妹書『哲学者の意図』（黒田壽郎訳、岩波書店、一九八五年）も近年オンデマンド化され、入手が容易になった。

トマス・アクィナス『在るものと本質について』（稲垣良典訳、知泉書館、二〇一二年）……少々禁じ手めいているが、アヴィセンナの形而上学を理解する最良の教科書として、トマス・アクィナスのこの初期作品を挙げる。この時期のトマス存在論はきわめて強いアヴィセンナ存在論の影響下にあり、本書もそのような観点から読むことができる。

第5章

トマス情念論による伝統の理論化

松根伸治

1　基本概念と思想源泉

†『神学大全』第二部の構想と情念論

トマス・アクィナスの主著『神学大全』に含まれる情念の考察を読むと、まず叙述量の多さが目を引く。神学の教科書になぜこんなに詳細な情念論が書かれているのかと奇妙な印象を受けるほどである。『神学大全』での議論は、より早い時期に『命題集註解』や『真理論』で情念をあつかった箇所と比べると、提示の仕方を入念に配慮したうえで、まとまりのある体系をめざした成果である。情念論の執筆に注がれた熱意は、彼にとってこのテーマが重要だったことを示す。本章ではトマスの情念論を「伝統の理論化」という視点からとらえて、西洋中世における倫理思想の一面を紹介したい。

トマス倫理学のエッセンスを凝縮した『神学大全』第二部の一は、「神の像」である人間を考察するという宣言で始まる。人生の究極目的と幸福を論じて全体の枠組みを示したのち（第一問〜第五問）、議論の対象を「人間的行為それ自体」と「人間的行為の根源」に定める。前者について、行為成立の条件とプロセス、行為の善悪を左右する要素が分析され（第六問〜第二一問）、その直後に情念についての論述が続く（第二二問〜第四八問）。このように、情念は行為そのものの範疇に位置づけられ、情念論は倫理学の根幹をなす原理的考察の一角を占めている。

その後の流れも簡単に見ておこう。視点は先に区分した行為の根源に移る。内的根源としての習慣の重要性を確認して、善い行為を生み出す習慣である徳と悪い行為を生み出す習慣である悪徳について吟味する（第四九問〜第八九問）。続いて、人を善に向けて動かす外的根源たる神は法によって導き恩恵によって助けるという視点から、法と恩恵が主題化される（第九〇問〜第一一四問）。以上が第二部の一の概要である。トマスはこれらの内容を倫理の「一般的考察」と呼び、これを具体的に肉付けするために、続く第二部の二では、信仰・希望・愛という三つの対神徳と、思慮・正義・勇気・節制という四つの枢要徳を柱にした徳の各論を展開する。

『神学大全』第二部全体の骨組みをこうして眺めると、トマス倫理学の中心のひとつが徳の理論であることがわかる。徳の概念は「人間の内在的な質と超越的な神の賜物という二つの対立的な要素をつつみこむ」ものである（稲垣良典『トマス・アクィナス倫理学の研究』九州大学出版会、一九九七年、五六頁)。これに対して、情念は人間と他の動物たちに共通する要素である(第二部の一第六問序文)。しかし、人が神の像として完成される過程において、情念は単に克服されるべき心の乱調ではない。

†情念とは何か

ラテン語の名詞パッシオ(受動)とこれに対応する動詞パティ(受ける、こうむる)の用法は広い。ゆるやかな意味では、大気が光で照らされる場合のように、何かを受け入れる変化をすべて受動と呼ぶことがある。人間の知的認識や感覚知覚が一種の受動だとされるのはこの意味である。だが、通常の用語法では、何かをなくして別の何かを受け入れることが受動である。たとえば、水が冷たさを奪われて温められたり、人が健康を失って病気になったりする、そういう種類の変化である。典型的な受動は本性的にそなわる性質や状態が奪い去られることであり、情念(パッシオ)はこのような意味での魂の受動である(『神学大全』第二部の一第二二問第一項)。

中世のスコラ学者たちは魂の内的構造を次のように考えた。魂には上位の理性的部分と下位の感覚的部分がある。他方、対象をとらえる認識と対象に向かう欲求という二つの機能がある。この区別の組み合わせにより、理性、意志(理性的欲求)、感覚的認識、感覚的欲求という四つの基本的な能力を考えることができる。理性と意志のはたらきは身体から独立しているが、感覚的な認識と欲求には身体器官が必要である。ただし、目という器官が青色の形相を受け入れるとき、眼球自体が青くなるわけではなく、視覚の作用自体は物質的変化を含まない。他の三つの能力と比べて感覚的欲求の特徴は、身体や物質に近い位置にあることである。この感覚的欲求の現実の動きが情念（パッシオ）にほかならない（第二二問第三項。以下、出典表記の『神学大全』第二部の一は省略する）。

したがって、情念は「受動」と「動き」の二つの面をもつ。このことをもっとミクロな視点から考えてみよう。感覚的認識が外界の事物をとらえるとき、たとえば、丸いとか白いとかいう単純な情報だけでなく、ふっくらして美味しそうといった感じも含まれている。認識されたそういう特質に触発されてはじめて感覚的欲求が反応し、目の前のお饅頭を食べたいという欲望が生じる。しかし、こういう欲求の「動き」そのものは空間的な移動や物理的な変化ではない。心は高ぶったり膨らんだり、縮み上がったり沈み込んだりする。そんなふうに私たちは言うが、これらの表現はあくまでも比喩である。魂の非物質的な動きに呼応するかたちで、身体の側に熱と精気の移動などの物質的変化が生じ、平常の体内バランスが変容をこうむる。この点に典型的な「受動」の特質が見出される。

このようなプロセス全体を「魂の受動」つまり「情念」と呼ぶことができる。ただし、認識は欲求の前提だが情念それ自体とは区別される。さらに、情念の生起において形相的な位置を占めるのは感覚的欲求の動きであり、それにともなう身体変化は質料的な位置にある（第三七問第四項、第四四問第一項）。この二側面は理論的には区別できるが現実には非常に近接しているから、この場合の受動の主体は、魂だけでも身体だけでもなく、魂と身体の複合体としての人間である。

†混沌に形を与える

情念論を組み立てるためにトマスは多くの先人の知恵を活用している。第一に、聖書、アウグスティヌス、偽ディオニュシオス（五〇〇頃）、ダマスケヌス（ダマスコスのヨアンネス、六五〇頃〜七五〇頃）という東西キリスト教思想の系譜がある。第二に、この時期に大学で研究が進んだアリストテレスの著作が主要な典拠である。さらに、ギリシアとイスラームの医学書や自然学的色彩の濃い魂論が一二世紀以降ラテン語訳を通じて知られるようになり、これが情念の論じ方に新しい局面を開いた。とくにアヴィセンナの『魂について』（『治癒の書』自然学部門の第六部）が最新の情報源のひとつだった。トマスの説明にも医学的ないし生理学的と言える要素が散見されるが、叙述の関心と目標はやはり神学者としてのものであり、デカルトが『情念論』で示すような生理学者の視点は希薄である。なお、直前の時期には、フランシスコ会士ヨハネス・デ・ルペッラ（ラ・ロシェルのヨハネス、一一九〇／一二〇〇〜一二四五）やトマスの師であるアルベルトゥス・マグヌスらが情念の理論的考察を残しており、これらがトマスの最も近い参照先である。

ヨーロッパの情念論の歴史ではストア派が重要である。しかし、中世哲学に対するアリストテレスの影響がかなり詳細に研究できるのに対して、ストア派がどのように受容されたかを正確に説明するのは難しい。トマスはしばしば「ストア派の人々」に言及するが、具体的教説に関する知識は間接的で断片的である。情念に関するストア派理解は、おもにアウグスティヌス『神の国』(第九巻、第一四巻)と、そこでも頻繁に引用されるキケロ(前一〇六〜前四三)による整理に依拠している。

異質な由来と思想傾向をもつこれらの著作を読み解く際に、トマスはそれぞれの含意をできるかぎり引き出そうとする。それらを調停しながら適切な場所に位置づけることで、混沌とした議論に一定の方向づけと構造を与えようとしている。多様な意見をもつ人たちが参加する会議を考えてみよう。司会者が優柔不断ですべての意見を受け入れていては議事は混乱して収拾がつかない。とはいえ、参加者の発言を形式的に聞くだけで司会者の主張を強引に押し通す進行でも実りはない。その意味で、トマスはきわめて優秀な、しかも優れた技量を感じさせないモデレーターである。

†気概と欲望

スコラ学に共通の理論枠組みでは、感覚的欲求はさらに「欲望的能力」と「気概的能力」という二つに下位区分され、この区別は対象の違いに由来する（第二三問第一項）。ここで言う「対象の違い」とは、外界の事物や自分の行為のどんな側面に光が当たっているかの差である。欲望的能力は感覚に即して自分に端的に適合する善を求め、端的に害になる悪を避ける本性的傾向がある。他方、善や悪が「困難なもの」という相貌で現れてくるとき、その困難さに対峙するのが気概である。このように、気概的能力は人間の自然本性的な反応を超えて、状況に対処し状況を打開する力という性格をもつ。

この場合の「善悪」は感覚のレベルでとらえられた快苦や利害であり、また、当人にそう見えているという点に注意が必要である。だから、理性による判断と食い違うこともある。また、善に見えていたものが実際は本当の善ではないと後から判明したり、本人には善に映っていても他人の客観的な判断ではそうでなかったり、色々な状況が考えられる。

魂と身体の関係や魂の能力について考える際にトマスが最も頼りにしているのはアリストテレスだが、気概と欲望の区分の重要性は、直接的には前述したダマスケヌスとその典拠であるネメシウス（エメサのネメシオス、四世紀末頃）から学んだものである。トマスは情念論や行為論においてこの二人のシリアの思想家をとても重視している。ネメシウスの『人間の本性について』もダマスケヌスの『正統信仰論』（八世紀に書かれた『知識の泉』の第三部）も原著はギリシア語だが、この時代にはピサのブルグンディオ（一一一〇頃〜一一九三）によるラテン語訳を読むことができた。二つの能力を区別する発想の淵源は、理知・気概・欲望の三区分という『ポリテイア（国家）』の卓見にあるが、トマスはこのプラトンの文章自体は直接読んでいない。

2　多様な情念をどう理解するか

†情念の地図①——対象と方向

トマスによる具体的論述を見ていこう。反対向きにはたらく情念があるという経験的事実が出発点になる（第二三問第二項）。情念は一種の運動なので、アリストテレスが『自然学』で述べる運動に関する理論にもとづいて、二通りの反対を考えることができる。ひとつは運動が関わる極の対立にもとづく反対であり、もうひとつは極に対する接近と後退という反対である。

欲望的能力の対象は無条件にとらえられた善と悪である。定義上、善は求めるべき対象であり、悪は避けるべき対象だから、善からの後退や悪への接近は生じない。この場合、第一の意味の反対、つまり善と悪という極の対立だけを基準に考えればよい。そういうわけで、欲望的能力のうちには善に向かう動きとして、愛、欲望、喜びなどの情念が生じ、他方、悪から退こうとする動きとして、憎しみ、忌避、悲しみなどの情念が生じる。

これに対して、気概的能力にもいくつかの情念を帰することができるが、前述の二通り両方の反対が成り立つので複雑である。具体的には、善に対する接近と後退、悪に対する接近と後退の四通りが考えられる。まず、「手に入れがたい善」という対象は反対方向に欲求を動かしうる。なぜなら、善であるかぎりは心を引き寄せるが、困難さという側面が心をはじき返すからである。高い山の頂きをめざす登山者を想像しよう。美しい山頂の景色と登頂の達成感を思って気持ちは高ぶるが、けわしいルートを考えると引き返したくもなる。このように、困難な善を求める情念が希望であり、そこから退くのが絶望である。

さらに、「回避や抵抗が難しい悪」についても同様の現象がある。それは悪であるかぎりは逃れたい対象だが、困難を前にして屈服を許さない心のはたらきが生じる。たとえば、病人の心が今後の苦痛を予測してひるむ場合と、つらい治療にあえて挑戦しようと奮起する場合がある。困難な悪から逃れようとする情念が恐れであり、これに立ち向かおうとするのが大胆である。

†情念の地図②——相互関係

欲望的能力のうちには三組の情念が見出される（第二五問第二項、第三項）。第一に、自分の本性に適合する善に共鳴し好感をいだく一方で、自分の善をおびやかすもの、自分に敵対し自分を害するもの、つまり自分にとっての悪に対しては調和できない。これが「愛と憎しみ」である。これらは欲求と対象のいわば関係性そのものであり、他の情念の基盤になる。第二の対概念は「欲望と忌避」である。愛する善がまだ獲得されていないとき、心はその善に引きつけられ、それを求める。また、憎む悪がまだ現前していなくても、それを避けようとする動きが生じる。第三に、すでに獲得された善とすでに自分にふりかかっている悪に対する情念があり、これが「喜びと悲しみ」である。より即物的には「快楽と苦痛」と言ってもよい。

まだ自分のもとにない対象に関わるか、今まさに現前している対象に関わるかという区別を用いて、トマスは情念の違いを考察している。求めていた善が自分のものになり心が満たされたとき人は喜ぶ。他方、逃れたいと願っていた悪が結果的に自分に結びついてしまったと感じて人は悲しむ。悪の認識は善の欠如の認識にほかならないから、悲しみは何らかの不在に向けられる情念である。それでも、私たちにとって悲しみのリアリティは大きい（第三六問第一項）。

気概的能力においては、第一に「希望と絶望」が対になる。両者はともに手に入れがたい未来の善を対象とするが、達成可能なものと見なした善に関わるのが希望であるのに対して、達成できないと見なした善に関わるのが絶望である。つまり、獲得困難だが獲得不可能ではない善に向かって伸びていく心のはたらきが希望である（第四〇問第一項）。第二に「恐れと大胆」の対がある。これらはどちらも抵抗しがたい未来の悪を対象とする点で共通している。対抗手段がなく永続すると思われる悪を予測したとき、自分がその対象に呑み込まれてしまうことを想像して萎縮する動きが恐れである。他方、同じ対象を前にして、自分がその対象を克服できる可能性に賭けるのが大胆である（第四五問第一項）。

さらに、怒りという情念も気概的能力の重要なはたらきである。今まさに自分を害している困難な悪を前にして、これを攻撃する動きが怒りだが、これと対になるような情念は見出せない（第二三問第三項）。

情念という雑多で複雑な現象を考えるために、トマスは正確で信頼できる地図を描こうとしている。感情や欲望は私たちに身近なものだが、それを語るときの言葉はしばしばあいまいになる。こういう不明瞭な語法を吟味し、概念の輪郭と関係を明確にすることで、見通しをよくしなければならない。上記の一一個の情念が「種的に異なる情念」のすべてだとトマスは断言し、他のさまざまな情念はこれらのいずれかに含まれると見なす（第二三問第四項）。憐れみ、嫉妬、羞恥心、驚きなどの情念は、トマス的な概念の布置によれば限定的で副次的ということになるが、位置づけが微妙で難しいという意味では、かえって重要な考察対象だとも言える。実際、これらについても『神学大全』では各々に検討の場が確保されて主題化されている。

†人間的成熟と情念

情念は外界に対する応答であり、人間以外の動物にもたしかに似たメカニズムがある。仮に情念それ自体を他の要素から切り離して考えるなら、そこに善悪は見出されないが、現実にはそういうあり方をしていない。情念が善悪と深く関わるのは、理性と意志との結びつきのもとにあるからである（第二四問第一項）。

種的に区別された情念はどれかが善でどれかが悪というわけではない。一般的に肯定的な情念と考えられる愛や希望が常に善いもので、否定的な情念と見なされる憎しみや絶望が常に悪いものだとは言えない。しかし、それらは自己と対象との具体的な関係の中で、かならず善や悪の性格を帯びてくる。心に生じる多様な情念は当人が世界にどう関わるかという態度を示すという意味で、なにより倫理と幸福の問題である。したがって、トマスにとって情念の理解は、やはり生理学ではなく哲学と神学の課題だった。

最初に見た通り、情念は常に身体変化をともない、両者の結びつきは緊密である。喜びで頬が紅潮し、悲しくて涙がこぼれる。ただし、生理的反応そのものは情念の本質ではない。また、情念は認識を不可欠な前提とし、逆に認識に及ぼす影響も大きい。とはいえ、情念はあくまでも欲求能力の活動だから、認識作用それ自体とは峻別される。そして、具体的な対象や行為がどのように見え、どんな場合にどういう情念が生じやすいかを左右する重要な要因は、その人の心にそなわった習慣（ハビトゥス）である。

トマスの考えでは、欲望的能力を完成に導くのは「節制」を中心とする諸々の徳である。望ましい対象への愛着とそれが手に入らないときの落胆は私たちにとって自然なものだが、しばしば中庸を外れがちである。とりわけ食と性に関する快苦は大きく、そのコントロールは倫理の基盤であると同時に人間らしい文化の源でもある。節制の徳は単なる控えめや禁欲とは異なる。それは自分自身を見つめ、明朗な清らかさをめざす心のあり方だと特徴づけることができる（ヨゼフ・ピーパー『四枢要徳について――西洋の伝統に学ぶ』松尾雄二訳、知泉書館、二〇〇七年、とくに一八〇～一八五頁、二三九～二四二頁を参照）。こうして、欲望をめぐる人格陶冶の目標は、情念を全面的に除去することではないし、暴れる情欲を飼い馴らすことに限定されるものでもない。

他方、気概的能力を完成に導くのは「勇気」を中心とする諸々の徳であり、恐れと大胆の調節がその主たる任務である。自己と世界が接触する場面で出会う難局を前にして心は折れやすいので、しなやかなレジリエンス（抵抗力・回復力）が必要になる。希望を背景にした自己肯定感がなければ心は卑屈になってしぼんでしまう。しかし逆に、虚栄や野心で膨れ上がる気分を制御することも人の成長には欠かせない。気概に関わる徳の主要な目的は心を強くすることだと言えるが、以上のように考えてくると、私たちがめざすべき強靱さの内実は単純でないことがわかる。

情欲の暴走や心の弱さは他の動物たちには無縁で、人間固有のやっかいな悩みである。その根本的な理由は、自然本性が原初の罪によって「傷」を負っていることに求められるが、このこと自体は人類に与えられた条件であり出発点である。トマスは情念を魂の「混乱」や「病気」と見なす立場とは距離をおく。感覚的欲求は理性や意志と調和してはたらくことのできる能力であり、その調和をもとに生じる多彩な情念は、むしろ人間の成熟と幸福にとって不可欠な要素である（第二四問第二項、第三項）。

†情念の地図③——連鎖

欲望的能力の情念が生じる様子を単純化すると、幸せな筋書きは善への接近の系列で、愛にもとづいた欲望の動きが対象を獲得した喜びにおいて安息する。不幸な筋書きは悪からの後退の系列で、憎しみに端を発した忌避の試みが挫折の悲しみで結末をむかえる。常にこのように情念が連なるという意味ではなく、たとえば、欲望が充足されなければ悲しみが生じるなど、現実には紆余曲折と葛藤がある。また、先ほど述べた通り、常に喜びが幸せで、悲しみが不幸

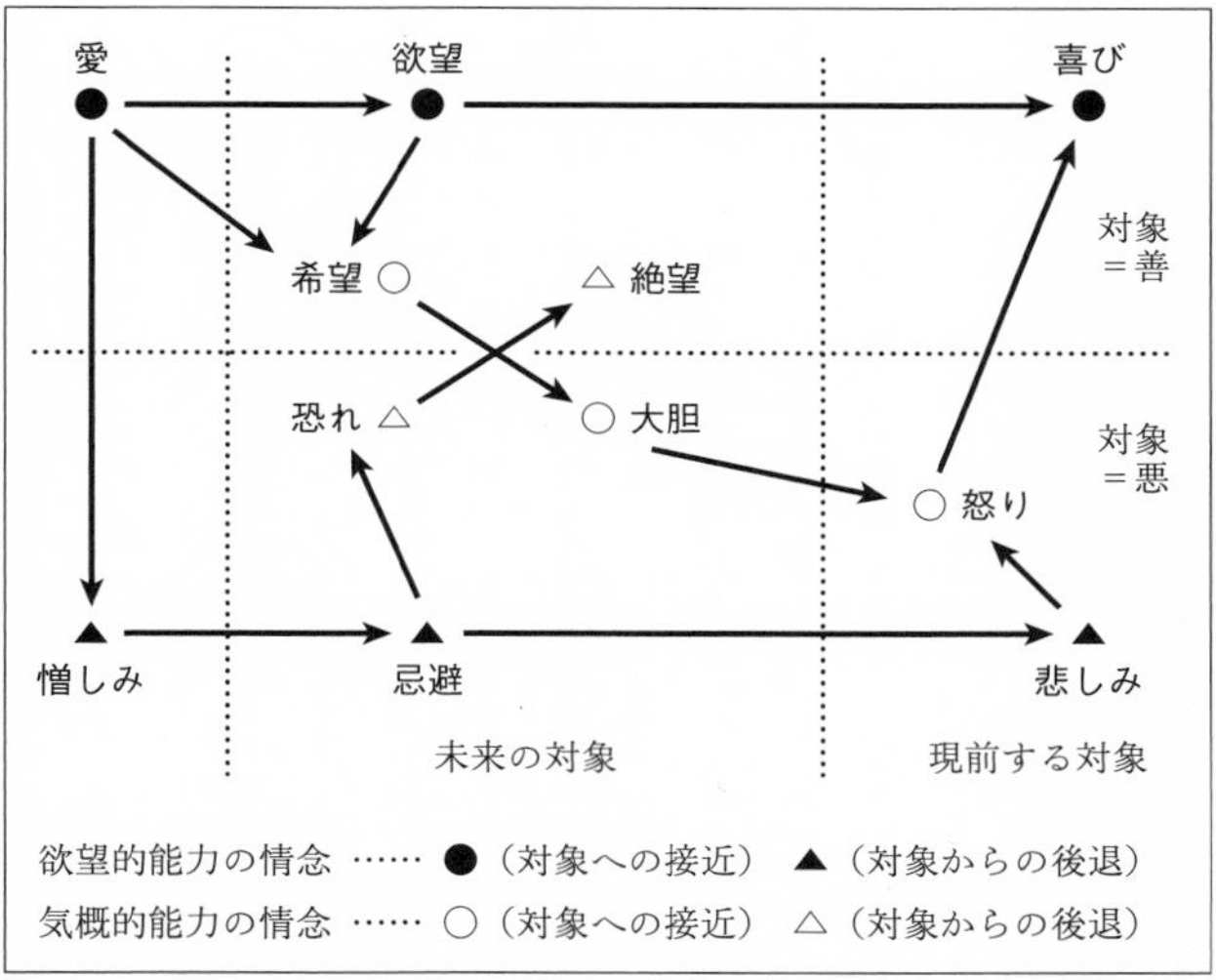

概略図　種的に異なる11の情念

だというわけでもない。悪の体験自体はいとわしいものだが、人生において不可避である。悪に出会って適切に悲しむことは私たちにとってむしろ善いことであり、有益なことである（第三九問第一項、第三項）。

　情念相互のつながりを考察するとき、善を対象とする作用のほうが悪を対象とする作用よりも本性的に先立つこと、また、対象と作用の関係で本来的なのは「善の追求」と「悪の忌避」であること、この二つの原則が手がかりになる。そこで、気概的能力の情念は、希望（善の追求）が絶望（善の忌避）に先立ち、恐れ（悪の忌避）が大胆（悪の追求）に先立つという基本的秩序をもち、現前する悪に立ち向かう怒りは最後に位置づけられる（第二五問第三項）。ただし、実際の生起のプロセスを考えると、内実として深い結びつきがあるのは困難へと前進する二つであり、希望にともなって大胆が生じる。同様に、来たるべき困難を前に尻込みする二つが緊密に関係し、恐れにともなって絶望が生じる（第四五問第二項）。

怒りの位置づけは入り組んでいる。自分を現に害している事態や人物を「悪」ととらえて攻撃に出るが、実現すべき報復に関しては「善」の側面が見えている。こうして、悪に対する悲しみに加えて、現状打開への希望と大胆が怒りの前提になる。そして、攻撃や報復が成就すれば喜びがともなう（第四六問第二項、第四八問第一項）。

あらためて全体像を考えよう。喜びと悲しみは、あらゆる情念の動きを終結させる位置にあり、運動に対する静止にたとえることができる点で特別な性質をもつ（第二五問第三項、第四項）。気概の情念群には欲望と忌避が先行している。というのは、欲望の性質に対象を求める力強さや上昇を加えた情念が希望であり、忌避の性質に避けがたい対象からくる重圧が加わった情念が恐れだからである（第二五問第一項）。さらに、それらすべての根底には愛と憎しみがある。ただし、先の原則にもとづいて、悪に対する反発である憎しみよりも善への共鳴である愛のほうが先立つ（第二九問第二項）。

したがって、このような情念の連鎖の端緒は何よりも愛である。この考え方は、『神学大全』

における情念の個別的議論で愛の考察が冒頭に位置することにも表れている。一連のプロセスの出発点というだけでなく、その全体を貫いてはたらく基底的要素が愛である。このように愛を中核にすえる構想自体は、アウグスティヌス以来のキリスト教思想の伝統を引き継ぐものである。

3 情念論の目的と背景

†意志の発見から主意主義の進展へ

このような情念のネットワークは理性や意志と連携して現実化しているから、実際にはもっと複雑な説明ができるだろう。『草枕』の冒頭に、「智に働けば角が立つ。情に棹させば流される。意地を通せば窮屈だ」とある。これ自体は知情意それぞれの難点を示す警句だが、理性・情念・意志、これら三者のバランスのすすめとも理解できる。意地はむしろ気概に近いと考えると関係はややこしくなるが、今そのことは問わずに意志について少し考えておきたい。

思想史的に正確な見通しはつけにくいものの、古代ギリシア哲学には「意志」(ラテン語のヴォルンタス、近代語 volonté, will, Wille など)にぴったり相当する語はなく、意志は後代の発見とも言える。たしかに、ギリシア語の欲求（ブーレーシス）、意欲（テレーシス）、欲望（エピテューミア）などの語は意志に近い要素をもつ。プラトン流の気概（テューモス）、アリストテレスの選択（プロアイレシス）や自発的（ヘクーシオン）、ストア派による同意（シュンカタテシス）などの概念に意志との類似を見出す説もあれば、旧約聖書と新約聖書における用語の伝統を指摘する人もいる。しかし、これらの概念はどれも、人間の心と行動を論じる鍵語としてアウグスティヌスが用いた「意志」と同じほどの際立った輪郭をそなえていたとは言いがたい。そういうわけで、アーレントがアウグスティヌスを「意志の最初の哲学者」と呼ぶのには正当な理由がある（『精神の生活』下巻、佐藤和夫訳、岩波書店、一九九四年、一〇二頁以下）。

スコラ学の意志概念は、理性が示す対象に向かうための行為の原動力という役割と、罪の主要な責任が帰されるべき部分という位置づけの両面を特徴とする。この意味で、意志なしにはスコラの倫理学は成立しない。トマスは理性と意志が相互に動かしあう関係を重視し、両者それぞれが情念と関わる仕組みを解明しようとしている。だが、彼の死後には、意志の自律や自発性を重んじるガンのヘンリクス（一二四〇以前〜一二九三）やフランシスコ会士たちと、行為における理性の役割を重視するフォンテーヌのゴドフロワ（一二五〇以前〜一三〇六／〇九）らのあいだで対立が先鋭化し、主意主義と主知主義の論戦が激しくなった。趨勢としては、一二七七年の禁令にも具体化されているように、意志を中核において倫理や幸福を考える傾向が主流になっていく。

主意主義的な情念の議論にはトマスとの顕著な違いがある。まず、ドゥンス・スコトゥスやウィリアム・オッカムは「意志の情念」について論じる点で、トマスと根本的に異なる思考の枠組みを示している。さらに、彼らはすべての倫理徳の座を意志だと見なす。トマスは「理性的欲求」である意志との違いは重視しながらも、情念が生まれ徳が発揮される重要な場として「感覚的欲求」を位置づけていた。これに対して、倫理をになうものは魂の上位の能力でなければならないという考え方が有力になるのが、一三世紀末以降のひとつの特徴である。このような背景から見たとき、勇気や節制などの倫理徳が気概と欲望の能力のうちに成り立つというトマスの発想はむしろ少数派と言ってよい。

†トマス情念論は何のために書かれたか

トマスの情念論が同時代の学者たちにどう読まれたかは判然としない。今述べた変化はあるものの、トマスの理論を大幅に受容したり、逆に正面から批判したりすることで成立した体系的な情念の理論は目立たないからである。このようなトマスのいわば孤立について、山内志朗が「中世哲学と情念論の系譜」で指摘している。山内氏はトマスの議論を「質・量ともに情念論の宝庫」としながらも、修道院神学からジャン・ジェルソン（一三六三〜一四二九）につながる流れを中世らしい系譜として示し、トマスの理論に対する評価はアンビヴァレントである（『西洋中世研究』第一号、二〇〇九年、七五〜八六頁）。

最後にあらためて、トマスが詳細な情念論を書いた目的と意義を考えてまとめにしたい。ことがら自体と典拠の多様性の両方に由来する錯綜を解きほぐすことが彼の課題だった。倫理における情念の役割をトマスが重視し、身近だが複雑なこの現象の解明に力を注いだことは見てきた通りである。これと関連して次の三点を指摘することができる。

第一に、『神学大全』の構成の面で、第二部の一の情念論で分析されたことがらは、徳を中心とする倫理学の不可欠な前提になっている。情念に関わる徳と悪徳の考察にとって必要ということに加えて、情念をさすのに用いられていた語がそのまま転用されて徳や悪徳などの心の恒常的状態を表す場合も多い。たとえば、愛や希望は徳の理論においてもキイタームになるし、怒りを悪徳として論じる箇所もある。第二部の二では、「情念について論じた際にすでに述べたように」という定型的なフレーズが頻出し、トマスが読者に著作内の相互参照をうながし、議論のつながりを意識させようとしていることがわかる。

第二に、教会や修道会が信徒の生活を導くための理論的整備という面に注目できる。一二一五年の第四回ラテラノ公会議で、年に一度の告解が一般信徒に義務づけられたこともあり、情念をめぐる人間理解は司牧をになう人々にとって喫緊の課題だった。実際、トマスが『神学大全』第二部を執筆した意図のひとつは、聴罪司祭のために書かれた当時のマニュアルにおける非体系的な叙述を克服することにあったと考えられる(この点について、山本芳久『トマス・アクィナス 肯定の哲学』慶應義塾大学出版会、二〇一四年、八四〜一〇一頁が明快で説得力がある)。

第三に、キリストの情念という論点との関係がある。『神学大全』第三部ではキリストの受苦可能性が問われ、苦しみ、悲しみ、恐れ、驚き、怒りの存在とその意味が論じられる(第一五問第四項〜第九項)。ここでパッシオは「情念」に加えて「受難」をも意味するので、キリスト教神学の核心にふれることになる。第二部の情念論がキリストの情念と受難を議論するためだけに書かれたというのは言いすぎだろうが、トマスが第三部を念頭において先立つ箇所を執筆したことは間違いない。そう考えると、第二部の情念論は第三部のキリストの情念論と往還しつつ読むべきものだと言える。

†おわりに

トマスの思想を「湖」にたとえた山内得立の講義について山田晶が回想している。「西洋の古来の思想はことごとくいったんこの湖のなかに流れこみ、そこで濾過され、清められて、またいくつかの細流となって、近世のほうに向かって流れてくる」というイメージである(山田晶責任編集『トマス・アクィナス』世界の名著20、中央公論社、一九八〇年、七頁)。たしかにトマスの情念論にも多くの思想源泉が見出される。冒頭で「伝統の理論化」と言ったが、参照されているのは複数の多彩な伝統である。トマスは多数のテキストそれぞれの勘所を押さえたうえで、そこから引き出したアイディアや用語を首尾一貫した方針のもとに関連づけながら、独自の理論を作り上げている。

本章では議論の基本的構造を取り出すことに集中したが、ここで見た一般理論をトマスが個別の考察に適用する場面も読みごたえがある。情念論の範囲内でも、ふれることのできなかった興味深いトピックは多い。たとえば、愛はその主体を傷つけるか、人は真理を憎むことができるか、欲望は無限か、苦しみや悲しみは涙で和らぐか、動物にも希望があるか、恐れは人を思慮深くするか、怒りは沈黙を生じさせるか、などなど(これらは「項」の主題の例だが、第二部の一の情念論には全部で一三二の項が含まれる)。さらに、第二部の二における徳と悪徳をめぐる叙述には、人間心理に対する洞察とキリスト教文化の反映が多く見出され、第二部の一における枠組みが血の通った具体性をそなえて展開されている。読者には『神学大全』第二部の気になる箇所を楽しみながら読まれることをおすすめしたい。

さらに詳しく知るための参考文献

山本芳久『トマス・アクィナス 肯定の哲学』(慶應義塾大学出版会、二〇一四年)……感情の理論を手がかりに、トマス哲学を貫く特徴として、世界や人間に対する肯定と讃美という面を強調する清新な研究書。具体的なテキストに即してトマスの論述の魅力を教えてくれる。

ニコラス・E・ロンバルド「トマス・アクィナスにおける感情論」（佐良土茂樹訳、『カトリック研究』上智大学神学会編、第八二号、二〇一三年）……神学的視点も含めて多様な論点が取り上げられており、トマスの議論の豊かさと広がりがよくわかる。

池上俊一『身体の中世』（ちくま学芸文庫、二〇〇一年）……中世人の感情や感覚について考える面白さと意義が多数の事例によって生き生きと伝わってくる。歴史学では感情史研究がきわめてさかんで出版物も多く、この分野は歴史学と哲学の有益な対話の場になりうる。

コラム3 キリストの肢体

小池寿子

キリスト磔刑像は、礼拝像として機能しながらも一三世紀以降、死の様相を深めてゆく。神の子イエスをめぐる両性論(神性と人性)は、三一論と密に関わりつつ神学上の論点となる一方、神秘主義の敷衍や「新しい敬虔」などの信仰運動の増幅は、「哀れみの人(イマーゴ・ピエターティス)」や、傷口を強調し受難の諸道具をともなう「アルマ・クリスティ」といった多様な痛みのキリスト図像を開花させた。トランシ墓像や「死の舞踏」など腐敗した死者の図像が流行した背景には、死せるキリストの肢体を救済のメタファーとする思想系譜がある。朽ちる肉体に不死性を賦与し、死すべき人間に強靭な救済願望を植え付ける逆説的な身体論の礎となったのはパウロの言葉であった。

パウロは、キリストの復活に倣って、朽ちゆく卑しい死者も、朽ちないもの、輝かしいもの、力強いものに復活する、「つまり自然の命の体が蒔かれて、霊の体が復活する」(「コリント信徒への手紙一」一五:四二〜四四)とした。腐敗する肢体が霊の身体になるとする信念は、とくにトランシ像出現の拠り所となった。死後の肉体の変化を示すこのトランシ(移ろいゆく)像の際立った特徴は一三八〇年頃から一六世紀を通じて流布した墓像に見られる。罪の証である腐敗肢体を晒すことで罪を告白し、救済を祈願する特異な墓像である。

とくにイングランドの墓碑は上部に生前の職衣をまとった横臥像（ジザン）、下部にトランシ像を置く二層構造をもつ。その起源と機能についてはE・カントーロヴィチ著『王の二つの身体』など優れた浩瀚《こうかん》な論考がある。

この二層構造と関わるのが、葬送儀礼での「王の肖像」である。葬列での遺体の公示は、一三二七年九月二一日に死去したエドワード二世の葬儀で初めて王の容貌に似た葬儀用肖像が使われて葬送儀礼の展開を促す。以降この肖像は、フランス王位継承者ヘンリー五世の葬儀、その二カ月後に死去したフランス国王シャルル六世の葬儀にも使用され、一六世紀フランス王家の壮麗な葬送儀礼の幕開けとなった。生けるがごとき国王の葬儀用肖像を運ぶ棺台の下には、生身の朽ち果てる肢体が布で隠されていた。

この政治的身体と自然身体の対置には、身体を制度的に分割する発想があり、王侯貴族の遺体を心臓、臓腑、骨に三分割して埋葬する一一世紀以降の慣習と関わっている。三分割されてなお、キリストの身体として統一される国家にあっては、ひとつに結ばれうるとの理念もまた、パウロの「教会はキリストの身体」との言説を淵源として形成されたのである。キリストの肢体は、かくして人間個人の救済のみならず国家理念のメタファーへとその地平をひらき、キリスト教ヨーロッパ全土を包摂する重要な概念となった。

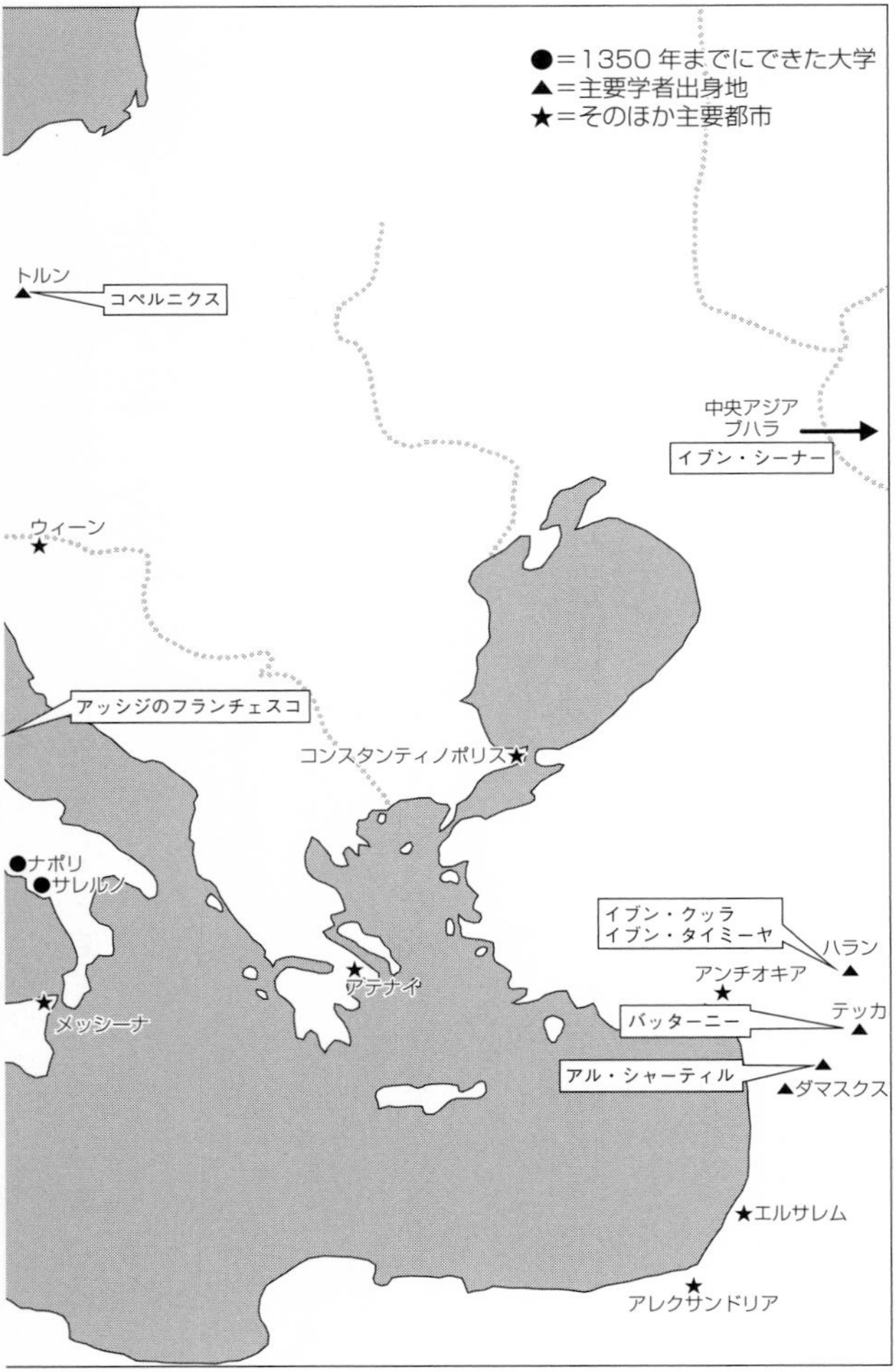

●＝1350年までにできた大学
▲＝主要学者出身地
★＝そのほか主要都市
トルン
コペルニクス
中央アジア
ブハラ
イブン・シーナー
ウィーン
アッシジのフランチェスコ
コンスタンティノポリス
ナポリ
サレルノ
イブン・クッラ
イブン・タイミーヤ
ハラン
アンチオキア
アテナイ
メッシーナ
バッターニー
テッカ
アル・シャーティル
ダマスクス
エルサレム
アレクサンドリア

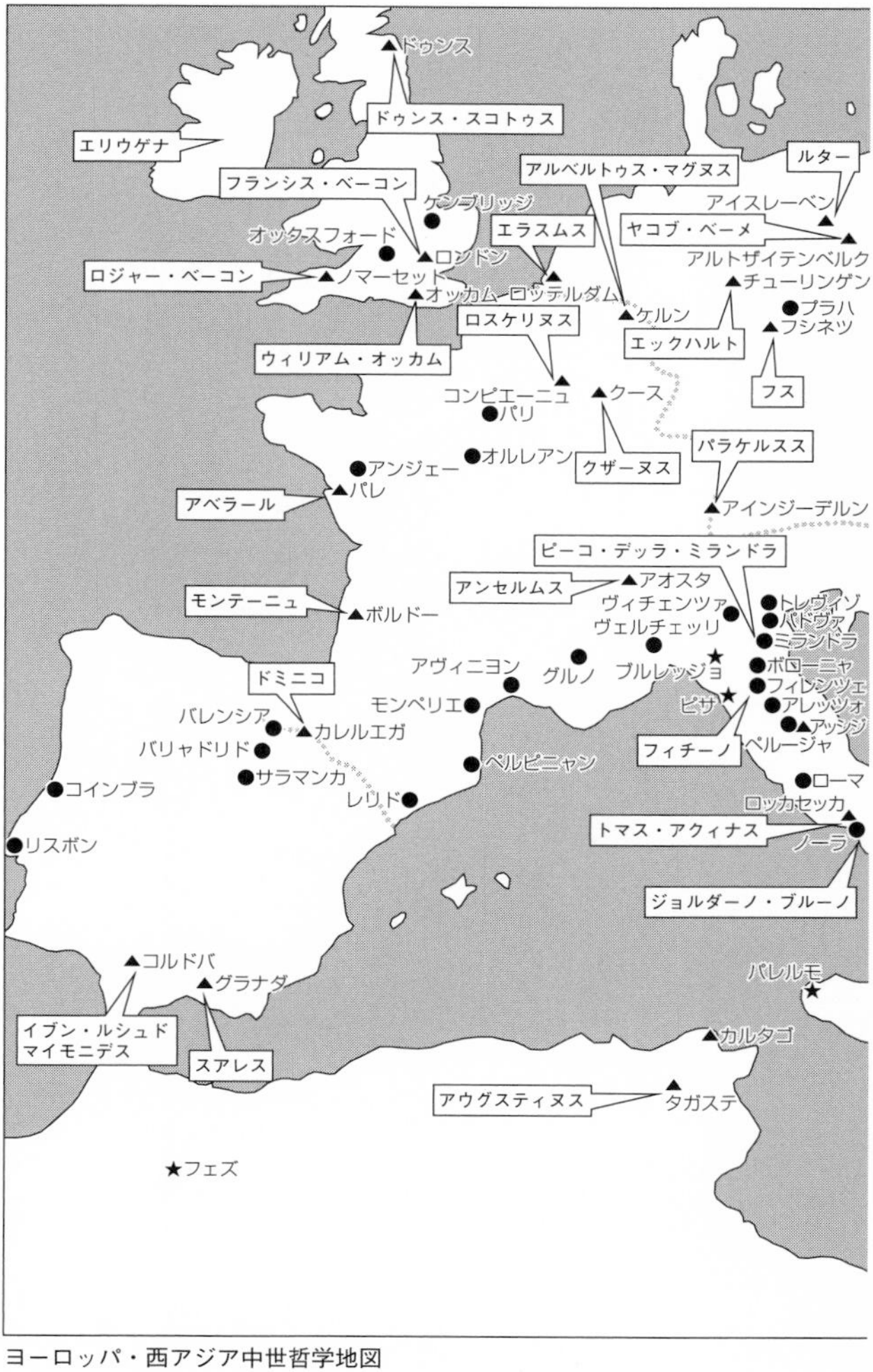

ヨーロッパ・西アジア中世哲学地図

第6章

西洋中世の認識論

藤本 温

1 「志向性」の問題

†西洋中世と現代

「認識」の問題は、「存在」や「真理」と同様、現代の哲学者によっても、中世の哲学者によっても論じられる。そうした共通問題に「志向性」も加えてみたい。少々特殊だと思われるかもしれないし、論じ方は中世と現代とでは異なるけれど、「志向性」は現代の哲学者が中世哲学の用法に言及することがあるという点で、現代と中世の哲学における共通のテーマであると言える。

志向性（intentionality）とは「意識」や「心」が何かに「関わっている」「向かっている」という特性であるとふつう理解されている。だが、その「ふつう」の理解をそのまま受け入れることはできない事情が中世哲学にはある。西洋中世哲学の「志向性」概念に着目した哲学者として、F・ブレンターノはよく知られていて、『経験的立場からの心理学』(一八七四年)において、物的現象から区別される心的現象の特徴として、①対象物の志向的(おそらくはまた心的)内在、②内容への関係、③対象への方向性、④内在的対象性の四つを提示して、このうち①は「中世のスコラ学者」の用法であると書いた。ブレンターノ以後、E・フッサールやR・M・チザムをはじめとして多くの哲学者たちは志向性について論じてきたが、近年、中世哲学における「志向性」概念の研究が進展しており、中世哲学の観点から見るとき、「志向性」のもととなるラテン語のインテンティオ(intentio)は必ずしも「心」や「意識」を前提することはなく、空気や水といった知覚の媒体や、鏡においても存在し得るものであったことが指摘されている。

W・S・セラーズによる志向性理解についても中世哲学との関係で議論されている。セラーズは論考「あると知られる」において、志向性に関するトマス・アクィナス的な形相同一説(後述)には「深い真理」があるとする一方で、思考は志向性を有するが、感覚は「偽の志向性」をもつにすぎないと主張した。J・マクダウェルは「セラーズのトミスム」という論文でこれに応答しているが、中世哲学の専門家からは、セラーズもマクダウェルも「心的世界」を強調するP・ギーチによるトマス解釈によってミスリードされていて、セラーズのトマス理解を「再構成されたトミスム」、それに応答するマクダウェルの立場を「反再構成のトミスム」、そして元来のトマス的な形相同一説を「再構成されないトミスム」として提示することも行われている(J・オキャラハン)。「スコラ学者」の説に関する学識についてはセラーズもブレンターノも似たようなものだとネガティブに評されることもあり(P・キング)、ブレンターノには哲学史の業績も残されていること、セラーズも「哲学史なしの哲学は、盲目ではないとしても、少なくとも間が抜けている」と信じており(W・S・セラーズ『経験論と心の哲学』浜野研三訳、岩波書店、R・ローティによる「はじめに」vii頁)、哲学史に理解を示した哲学者として評価されていることからすると、この評は少々厳しいと思われるかもしれない。

その評価の賛否は今は措くとしても、中世哲学と現代哲学では「志向性」が論じられるコンテクストが異なることには留意しておく必要がある。中世哲学においてインテンティオは、「内部感覚」「媒体」「質料・形相」「能動知性・可能知性」「現実態・可能態」「光」等々といった諸概念のネットワークの中で論じられており、中世のインテンティオ論は、アラビア哲学の西洋世界への導入や視覚を扱う光学の新たな展開のなかで独自の発展を遂げた。一方、セラーズでは「志向性」は、「所与の神話」「理由の論理空間」「観察的知識」「センスデータ」等々との関連の中で位置づけられており、それらは中世の哲学者たちが言及することのなかったものである。中世哲学と現代哲学では八〇〇年ほどの隔たりがあり、「志向性」と言ってもそれが置かれる概念布置の光景は大きく異なると言える。

「志向性」の多義性

「志向性」概念は現代においてさまざまな仕方で使用されていて、H・パトナムは『表象と実在』において、『ニューヨーク・レビュー・オブ・ブックス』誌に掲載された書評（哲学書）における「志向性」の用法を調べて、その使用例として次の四つを紹介している。すなわち、①語、文、その他の「表象」には意味があるということ、②表象は現実に存在する事物を指示するということ、③表象は現実には存在していない何かに関わることがあるということ、④「彼女は彼が信用できると信じている」のように、ある「事態」が、ある心の状態の対象となっているということ、である（『表象と実在』林泰成、宮崎宏志訳、晃洋書房、八頁）。ここからもわかるように、「志向性」の用法は多様で哲学者によって含意が異なり、そのさまざまな用例は家族的類似性を有するにすぎないと言われることもある。近年ではさらに、志向性の自然化をめざす生物的意味論や、物理的姿勢や設計的姿勢から区別される志向的姿勢（D・C・デネット）などが議論されるようになっている。

西洋中世においても、トマス・アクィナスやドゥンス・スコトゥスは、インテンティオという語は「多義的」であるとしていた。中世のインテンティオの用法を大きく二つに分けるならば、日本語で「意図」と訳されるものと、「概念」と訳されるインテンティオに大別される。「意図」としてのインテンティオは倫理学や実践的文脈で使用される語であり、後者「概念」の方はアヴィセンナやファーラービーらの影響のもと、アラビア語(maʻnāや maʻqūl)からの翻訳に由来する用法で、アリストテレスの『命題論』の「ノエマ」の訳語としても、また論理学の主題(第一志向や第二志向)を表すものとしても用いられる。ラテン語には他に、インテンティオナリタス(intentionalitas)という関連語もあり、こちらの方がいくつかの近代語(intentionality、Intentionalität、intentionnalité)に近いように思われるが、インテンティオナリタスというラテン語は一四世紀のヘルウェウス・ナタリスあたりから使用されはじめたと言われている。

2 光学と志向性

†西洋中世における光学の展開

西洋中世の志向性理論ないし認識説の特徴は、背景にキリスト教思想や古代のギリシア哲学があることに加えて、イスラーム経由のアリストテレス解釈や「光学」理論の影響がそこに見られることにある。志向性ないしインテンティオが「光学」に関わるというのは聞き慣れない話かもしれない。「光学」はオプティクス（optics）のことで、中世ではこの学はペルスペクティーヴァ（perspectiva）、より正確にはペルスペクティーヴァの学（scientia perspectiva）と言われる。これは「視学」とも訳されるように、「光」の本性の探求と「視覚」の働きの解明をあわせて行う学である（ギリシア語の「オープス」は「目」のこと。英語のopticalにも「視覚の」という意味がある）。中世の光学は、ユークリッド、ガレノス、キンディー、アヴィセンナ、アルハセンといったギリシアやアラビアの思想家たちの影響を受けている。とくに、アルハセン（イブン・アルハイサム、九六五頃～一〇四〇）は『光学』という書において、光学に幾何学と解剖学を導入して光の本性のみならず眼球の構造をも論じて視覚成立のプロセスを説明した。アルハセンの影響のもとに「視学」を研究したのは、一三世紀ではロジャー・ベイコン、ジョン・ペッカム、ウィテロらの視学論者たちであった。「驚嘆的博士」と呼ばれるベイコン（一二二〇頃～一二九二）は、オックスフォード大学で学び、後にパリ大学学芸学部教授となった。光の認識論や光の形而上学で知られるロバート・グロステストはかれの師であり、ベイコンはグロステストが知らなかったアルハセンの光学理論を取り入れている。中世の大学の講義でも光学は扱われており、おそらくペッカムの『一般光学』が初級の教科書として使用されていた。

古代以来、認識説には、対象から伝達されたものを知覚者は受け取るという「内送説」と、視覚から対象に向かって何らかの光線を発出するという「外送説」があったが、視学論者たちは「内送説」を基本的に採用しており、これはアリストテレス的な知覚の因果的説明に親近的であった。後のJ・ケプラーによる網膜像の発見は中世の視学論者たちの仕事の延長線上でなされたものであり、ケプラーには『ウィテロへの補足』(一六〇四年)という、一三世紀の視学論者の名前を冠した著書がある。

†「光」とインテンティオ

「光」と訳されるラテン語にはルクス(lux)とルーメン(lumen)がある。前者は現実に光っている物体(たとえば太陽)、つまり「光源」であり、ルーメンは、透明な物体が照射されて受け取られた光で、空気中にあるものである。「ルクスはルーメンを生む」と先述のグロステストは言った。その後、太陽のような光源は、みずからの類似を「生む」あるいは「多化する」ということ、さらに、事物は自らのスペキエス(形象)やインテンティオといった類似を「多化する」という考え方・語り方が流布していく。実際、一三世紀の神学者であるトマスやその師であるアルベルトゥス・マグヌスもときとして「多化」を語ることがある。(アルベルトゥスを視学論者として言及する研究者もいる)。

光学理論の影響は、一四世紀のドゥンス・スコトゥスのインテンティオ理解にもあらわれていて、スコトゥスは「ルクスはルーメンを生むかどうか」を論じている(『オルディナティオ』第二巻・第一三区分・一問）。インテンティオという語は「多義的」であるとした上で、①意志の働き、②事物における形相的規定、③概念、④対象へ向かうという特性、という四つに分類する。この分類はスコトゥスのインテンティオ理解としてよく言及されるが、そのコンテクストは「光」に関わる議論であることに注意が必要である。すなわちスコトゥスは④について、「ちょうど、類似が、それ（類似）が属するものへ向かう特性であると言われるように、対象へ向かうという特性がインテンティオと言われる。その仕方で、光（ルーメン）は光源（ルクス）のインテンティオないしスペキエス（形象）であると言われる」（テキストは『レポルタティオ』をも参照するK・H・タカウの研究に従う）と説明しており、最後の一文は視学論者の用法を承知している発言であると考えられる。

つまり④「対象へ向かうという特性」としてのインテンティオを説明するときに、スコトゥスは「光源は光を生む」ことを受け入れていて、そのことと④-1「対象は類似（ないしインテンティオ）を生む」という考え方がいわばパラレルな関係になっている。一方、④にはもうひとつの関係が、すなわち、④-2「類似は対象に向かう」という方向性（対象へ向かうという特性）が明らかに提示されており、④では「生む」という「（インテンティオの）生成」の論点を背後に含みながら、「向かう」という「方向性」の論点が明示的に述べられている。もちろん④「対象へ向かうという特性」としてのインテンティオは④-2の方であるが、視学論者の理論との関係では「生成」の論点も重要になる。その理論によると、認識の成立は事物から発せられるスペキエス（類似・形象）の伝達（多化）によるのであり、スペキエス自体は本質的には心の働きの産物ではなくて、たとえ知覚する者がいなかったとしても存在し得るものである。実際④の説明は、③「概念」とは異なり、必ずしも「心」を前提することなく読むことができる。

次に、遡ってトマスやベイコンが活動した一三世紀の状況を考察しよう。

3 感覚認識

†トマス・アクィナスの感覚論

「感覚する」ということは、事物の形相（フォルマ）を受け入れることである。感覚は事物をまるごと受け入れるのではなく、「質料なしに形相を受け入れる」のであり、それは知覚者だけでなく、媒体（空気や水）を含むあらゆる受動者にあてはまる。事物においても、媒体においても、感覚器官においてもその「形相」は「同一」であることから、トマスによる志向性理論は「形相同一モデル」と言われる。

アリストテレスの「質料なしに形相を受け入れる」（『魂について』第二巻・第一二章）という言

葉をトマスは「スペキエス（形象）が感覚器官ないし媒体に受け入れられるのは、インテンティオの様態によるのであって、自然的形相の様態によるのではない」（同箇所の『魂について注解』）と注解する。スペキエスとは形相のことで、媒体や感覚器官においてあるときにはしばしば「スペキエス」と言われる。物体の形相はスペキエスとして空気や感覚器官においてインテンティオという様態で存在し、スペキエスは物体の形相がもっている「自然的存在」とは別の様態――インテンティオの様態――で他の場所（たとえば、空気中）に存する。

「質料なしに形相を受け入れる」というアリストテレスの言葉に「インテンティオという様態で」という限定が付加されていることが重要になる。これは『原因論』という書に由来する原則「受けとられるものが受けとるものにおいてあるのは、受けとるものの様態に従う」に基づく言い換えになっている。『原因論』は内容的に新プラトン主義傾向を帯びており、当時この書は一般にアリストテレスの著作として位置づけられていた。トマスは後に同書が五世紀のプロクロスの『神学綱要』からの抜粋を基本としていることを見いだしたとはいえ、右記のように注解した際、それをどの程度意識していたのかは定かではない。少なくとも、オリジナルのアリストテレス説と矛盾しないとは考えていたと思われる。今日では、『原因論』のもとになったアラビア語の書は九世紀に生まれ、クレモナのゲラルドゥスによってラテン語に訳されて『純粋善の書』というタイトルであったことが知られている。右記の原則を使用するとき、トマスによる感覚認識の説明には、アラビア思想や新プラトン主義の思想の影響が認められるのである。

感覚の働きはもの（対象）が感覚器官を「変化」させることによって生じる。その「変化」にも二通りがあって、たとえば触覚では、熱いものに触れると手も熱くなり、そこには「手も熱くなる」という「自然的存在」に従う変化と、「熱い」と感覚する「志向的存在」に従う変化（＝霊的変化）がある。視覚の場合、たとえば白いものを見るとき、「瞳は白のスペキエスを受け入れるが、瞳が白くなることはなく」（『命題集注解』第四巻・第四四区分・第二問題・第一項・問三・主文）、ここでは「志向的存在」を生み出す霊的変化だけが生じている。トマスが五感のなかでも視覚をもっとも優れたものであるとみるのは、視覚は非質料的ないし霊的（spiritualis）な変化が最も優勢であることによる。

志向的存在ないし志向的様態があるところには必ず知覚が生じているということではない。空気においては事物のスペキエスは志向的様態を有するけれど、空気は知覚していないからである。感覚するということは、スペキエスによって変化を被った感覚器官が行うものである。空気は感覚しないけれど、空気中においてスペキエスの志向的様態が成立していなければ、感覚器官は反応できない、すなわち、現実態における媒体の成立ということが、感覚作用の成立の基盤となっている。そして媒体の成立のためには、光が必要になる。「光によって、色は現実態において可視的に引き起こされる」(『真理論』第二三問題・第七項主文)のであり、光(ルーメン)がディアファヌム(空気や水などの「透明体」)を現実化することによって、色は現実態においてディアファヌムにスペキエスを刻むことができるのである。

†ロジャー・ベイコンの感覚論

ロジャー・ベイコンは、『スペキエス多化論』においてスペキエスの「多化」を本格的に論じる。事物のスペキエス(形象)は事物からの自然的因果性によって多化する。スペキエスの多化は、事物から次々と微細な物質が離脱していくのではなくて、「受け取るものの質料の能動的力から」引き出される。対象がその類似物であるスペキエスを隣接する透明な媒体に生み、そのスペキエスはさらに順に次の媒体にスペキエスを生むのである。ベイコンはインテンティオをスペキエスの同義語として扱っており、「スペキエスは、もの(現物)との関係でその存在の弱さのゆえに、多くの自然学者の方法においてインテンティオと呼ばれる。それは本物の事物ではなくて、その事物のインテンティオ、すなわち、類似である」(『スペキエス多化論』第一部・第一章)と言う。ベイコンによると、視覚は二二種の可視的性質を知覚可能であり、それらには、光、色、形、大きさ、運動、静止、透明さ、濃密さ、美、醜などがある。それらの性質のうち「光」と「色」の二つだけがスペキエスを生む。他のすべての視覚的性質は、スペキエスを生むこれらの性質からの推論によって導きだされる。光（ルーメン）とは、作用者である太陽光（ルクス）の第一の「結果」として空気中に生じたスペキエスであり、「感覚へも知性へも、また諸事物の生成のために世界の全質料へも作用する」（『大著作』高橋憲一訳『科学の名著〈3〉ロジャー・ベイコン』朝日出版社、一〇五頁）とされる。

トマスは、「インテンティオは自然的変化を原因しない」（『神学大全』第一部・第六七問題・第三項主文）として、スペキエスは空気中において「志向的存在」という存在様態をもつと考えたが、ベイコンは「スペキエスは、媒体および感覚器官において質料的かつ自然的存在をもつ」と言う。ここでベイコンは「受け取られるものは受け取る者の様態に従って受けとられる」という『原因論』由来の原則を承認する点ではトマスと共通しているが、同じ定式を用いて、異なる理論を展開していることになる。そして、媒体におけるスペキエスのあり方を「霊的」であるとする見解について、ベイコンは、スペキエスが「質料的存在」をもたないなどと考えるのは正気ではないとして激しく反対した（『大著作』前掲、高橋訳、二二七〜二二八頁参照）。

トマスにとって感覚器官の中で行われる霊的変化は、感覚器官という物体の中で行われる自然的ならざる変化である。ここで「自然的ならざる」というのは、トマスは「自然的」と「志向的（ないし霊的）」を対置するということであり、触覚の場合にはその両方の変化が生じるとしても、感覚の働きのために必要とされる変化は、それによって可感的形相のインテンティオが感覚の器官において生じる「霊的変化」である（『神学大全』第一部・第七八問題・第三項主文）。

自然的因果性の中で議論を行っているベイコンにとって、感覚は可感的スペキエスを「質料なしに受け入れる」というアリストテレス『魂について』の言葉には警戒が必要である。「感覚は質料なしに感覚的事物のスペキエスを受け入れる」とアリストテレスが言うとき「質料なしに」ということ、すなわち、「非質料的」ということは「霊的」というよりは「感覚され得ない」という意味だとベイコンは解する（『スペキエス多化論』第三部・第二章）。つまり、スペキエス自体は「感覚され得ない」ものであり、アリストテレスの言葉は、スペキエス自体は感覚され得ないものとして受け入れられる、という意味になる。スペキエスは付帯的に感覚されるのである。そして自体的には「感覚され得ない」ということは、物体性や質料性に矛盾しない。こうして、形相（スペキエス）は多化のそれぞれの過程において、適切な質料において存在するのである。

現代においてもアリストテレスの「質料なしに形相を受け入れる」という言葉の解釈には論争があった。そこに霊的変化を認めるトマス説を肯定する論者（M・バーニエット）と、反対に質料性を強調する論者（R・ソラブジ）があり、アリストテレスの魂論は、現代の「心の哲学」の分野における機能主義の原型であるのか否かという問題とも連動して、他の哲学者たち（たとえば、H・パトナムやM・ヌスバウム）も加わって一時期盛んに議論された。こうした中、トマス説の正確な理解も求められ、その背景思想や他のスコラ学者の用法にも調査が及び、また一方で、ブレンターノが言及した中世スコラ学者のいう「志向的内在」の歴史的解明という関心も脈々とあって、それらが相俟って西洋中世哲学の志向性研究は進展してきた。

4 知性認識

†抽象説

西洋中世の知性認識の理論のうち、ここでは「抽象説」と「照明説」を取り上げてみよう。通常の認識活動を完成するためには、人間の心は何か特別な超自然的な援助に継続的に依拠することを要するという神的照明の理論の代表者は、しばしばアウグスティヌスに帰せられる。照明説は比喩だと言われることもあり、一三世紀には抽象説が優勢になっていくが、一三世紀にも照明説論者はいたし、アリストテレスの伝統に連なる抽象説を擁護する場合であっても、能動知性の「光」という仕方で「照明」という論点は残ることはある。

スペキエスの理論を知性認識のレベルに適用して抽象理論のひな形をうちたてたのは、その影響力から考えてトマスだと言ってよいであろう。トマスによると、五感から入った知覚情報から形成される表象像から、可知的スペキエスが能動知性によって抽象され、そのスペキエスによって知性認識が成立する。可知的スペキエスを抽象する能動知性は個人に内在するものであり、それは離在している上位の能動知性を分有する。一方、スペキエスを受け入れる知性は「可能知性」と呼ばれ、可能知性は「何も書き込まれていない書字板（タブラ・ラサ）のようなもの」で、無限に多くの形相を受け入れることができる。

知性が「可知的スペキエス」によって形相づけられると、知性的魂には「知性認識された志向（概念）（intentio intellecta）」が形成される。「可知的スペキエス」も「知性認識された志向」も、知性認識されるものの類似（似姿）であり、「知性認識された志向（概念）」は内的言葉とも呼ばれて、それは外的言葉によって表示される（『対異教徒大全』第四巻・第一一章）。

トマスによる人間の知性認識論の大枠は以上の通りであるとしても、トマスは論題に応じてさまざまな議論を展開しているため、結局どのような知性認識論になっているのかについて一言で表現しようとしても収まりきらないことがある。「あらゆる知性認識され得るものは、知性認識する者と現実に一つであることによって知性認識される」（『対異教徒大全』第一巻・第四七章）とされるとき、ここでは「知性認識する者」と「知性認識されるもの」との志向的同一性が認められていて、その語り方には媒介する表象が不在であることから、トマスの立場は「直接的実在論」として整理され得る。しかし他方で、可知的スペキエスも内的言葉も知性認識されるものの「類似」であるという先の説明からは「表象主義」であるという理解もなりたつ。トマスの知性論は、アリストテレスやアウグスティヌス、そしてイスラムの思想を消化吸収しており、トマスの抽象説が結局、認識論上、どのような理論になるのかは、その歴史的調査をも含めて継続的に議論されている。近年では能動知性（の光）に関して、アヴィセンナやアヴェロエスからの影響ないし彼らの説との関与の仕方が注目されるようになっている。

†ロジャー・ベイコンの場合

ベイコンのスペキエス論も、感覚にも知性にも適用される。知性におけるスペキエスの位置については『スペキエス多化論』（第三部・第二章）において「後で論じる」と言っておきながら実行されなかったこともあり、ベイコンの知性認識説について語ることは難しい。近年の有力な解釈によると、ベイコンは初期著作では抽象説を肯定していたが、後に抽象説を否定して、現代の研究者（Y・ケダール）が「取り込みの原理」と呼ぶものを採用していた。この原理によると、スペキエスがその内容を伝達して認知が生じるためには、正しい種類の媒体においてスペキエスが順に取り込まれていなければならない。これは媒体においてのみならず、外部感覚においても、評定力や思考力においても、そして「知性」においても同様である。この取り込みの理論は「質料」を要請する。スペキエスの内容は抽象されるのではなく、適切な質料の中に次々と取り込まれて、感覚や知性に至ってそれぞれの認知が生じるのである。とすると、知性も「質料的」でなければならない。理性的魂は純粋に霊的なのではなく、質料と形相の複合である。ベイコンの質料形相論によると、神を除くあらゆる実体は質料と形相からなり、まったく非質料的であるのは神のみである。「天使と魂は、霊的実体であるが、にもかかわらず質料において存在する」(『スペキエス多化論』第三部・第二章)のであり、人間の魂も天使も質料的でなければならない。そもそも質料は受容性の原理であり、スペキエスを受け取るものは質料的なものを含まなければならないのである。

知性認識のレベルでも質料性を要求するベイコンのこうした考え方は、トマス的な立場、すなわち、知性は「非質料的」であり、抽象された可知的スペキエスも「非質料的」であるとする立場とは対照的である。ベイコンにとって、可能知性はスペキエスが合体して可知性を表現できる質料をもっており、その知性は自然世界から分離してはいない。「普遍」は抽象によって心が作り出すものではなく、普遍は自然の一部である。知性は多くの個物から一般概念を抽象する必要はなく、事物そのものから発せられる普遍のスペキエスを受け入れるのである。ベイコンの考え方は極端な実在論にかなり接近しているように見える。

能動知性に関するベイコンの立場は著作の執筆時期によって内容が異なる。ベイコンが照明に関してアウグスティヌスの影響を受けていたこと、また能動知性による照明を語ることは事実である。しかし、能動知性についてのベイコンのそれぞれの発言にどの程度の比重があるのかについては、慎重に読み解く必要がある。フランシスコ会の中で執筆活動を制限されていたベイコンが、求めに応じて教皇クレメンス四世に贈った『大著作』では、初期著作とは異なり、能動知性を人間の知性から切り離して、神と同一視しており、同時に、かれの研究の全体が神の知恵に反することはなく、むしろそれの中に含まれていることを宣言している（『大著作』第二部・第五章）。能動知性と神とのこの同一視は、教皇へ贈る書であることが意識されているのであろう。そこでは能動知性が神へと帰せられる一方で、人間の知性認識は事実上、先述のような自然的なプロセスのなかで行われるという見方をベイコンは保持していると見ることもできる。

†おわりに

トマスとベイコンでは、質料・形相という根本概念の理解に乖離があるとはいえ、スペキエスの存在を肯定する点では共通している。一方、スペキエスの理論を否定する論者もいた。ペトルス・ヨハネス・オリヴィ（一二四八〜一二九八）は、スペキエスの認知的働きを問題視して、スペキエスは「ものを覆い隠し、ものがそれ自身において現在的に注視されることを助けるよりは妨げるだろう」（『命題集第二巻問題集』第五八問題・第一四解答）として、認識能力がまず先に対象へ志向すること、志向の注視が現実に対象へ向けられていなければならないことを強調する。ただしオリヴィは、光の伝播や質料的なものの相互作用については、スペキエス概念を用いて説明することはあった。

さらに、ウィリアム・オッカムのように「直知認識」を提唱してスペキエスを否定する理論枠を提示する哲学者もあらわれた。「外的な可感的対象は感覚と知性を直知認識へと直接的に動かす」(『レポルタティオ』第三巻・第二問題)のであり、ものが実際にあれば、スペキエスなしに知性は直知的にそのものを認識することができる。これによると、対象自身が、志向的内容をともなって一定の距離から働きかけ、直接に認識の働きを生じさせることになる。

スペキエスとインテンティオをめぐっては、本章で言及できなかった多くの議論が中世哲学にはあったが、「能動知性・可能知性」、「質料・形相」、「現実態・可能態」、そして「スペキエス」といった概念は、後の時代に新たな哲学が求められる中、現代に至るまでそれぞれの時代の先端の議論からは徐々に退場していった。とはいえ、中世哲学においてそれらの概念との関係の中で問われていたインテンティオないし「志向性」は、それらから切り離されても、現代においても新たな装いのもとで論じられている。西洋中世において光学理論の導入と連動してインテンティオ概念の分析が行われていたように、現代では脳科学やコンピュータの発展とともに「志向性」の内実が改めて問われている。

さらに詳しく知るための参考文献

ウォルター・J・フリーマン『脳はいかにして心を創るのか――神経回路網のカオスが生み出す志向性・意味・自由意志』（浅野孝雄訳、産業図書、二〇一一年）……脳科学と志向性との関わりについて。同書にはトマス・アクィナスの「志向性」概念への言及もある。

デイビッド・C・リンドバーグ『近代科学の源をたどる――先史時代から中世まで』（高橋憲一訳、朝倉書店、二〇一一年）……古代中世の光学・視学についての記述が含まれていて参考になる。

高崎直道監修『シリーズ大乗仏教9　認識論と論理学』（春秋社、二〇一二年）……仏教認識論について。西洋中世のスペキエス（形象）理論の展開を世界哲学史という観点から位置づけようとするならば、それを仏教認識論における形象（ākāra）理論の展開と比較してみると興味深いかもしれない。

藤本温「志向性概念の歴史」（神崎繁、熊野純彦、鈴木泉編『西洋哲学史Ⅱ「知」の変貌・「信」の階梯』講談社選書メチエ、二〇一一年）……本章で言及できなかった、西洋中世の哲学者によるインテンティオ理解の概要について。西洋中世の志向性理論を論じた欧文文献については同拙稿末尾の「参考文献」を参照されたい。

第7章

西洋中世哲学の総括としての唯名論

辻内宣博

1　西洋中世哲学と普遍論争

†西洋中世哲学とは

西洋中世哲学とは、結局のところ、どういった哲学のことを指すのだろうか。この問いに回答することは、実のところ、非常に難しい。例えば、歴史の出発点から眺めてみて、西洋中世哲学とは、理性に基づく古代ギリシア哲学を使って、信仰に基づくキリスト教を説明しようとした「キリスト教哲学」であるという見立てはどうだろうか。つまり、西洋中世哲学は、理性と信仰とをごった煮にした思想であり、厳密には哲学とはとても言えないのだ、と。実際、神の存在証明だとか、キリスト教の神に特有である三位一体論の説明だとか、神の恩寵と人間の自由意志との関係だとかが論じられているではないか。しかし、理性だけに依拠する学問（哲学）と信仰にも依拠する学問（神学）とを丁寧に区別して論じている西洋中世哲学の現場を見てみると、この見立てが部分的には当てはまるとしても、これですべてが尽きるとはとても言えそうにない（さらに詳細な説明は、第1章「都市の発達と個人の覚醒」を参照）。

では反対に、歴史の終着点から眺めてみて、西洋近世哲学の祖と言われるルネ・デカルト（一五九六〜一六五〇）から逆照射してみるとどうだろう。つまり、アリストテレスのような思考の枠組みに対して根こそぎ疑いをかけ、一から新たに哲学を作り直すことがデカルトの意図だとしたら、少なくとも一二世紀ルネサンス以降の西洋中世哲学は、「アリストテレス主義哲学」であるという見立てはどうだろうか。実際、ガリレオ・ガリレイ（一五六四〜一六四二）が天動説に対抗して地動説を主張したとき、天動説の理論的支柱となっていたのはアリストテレスであったし、このアリストテレスこそがキリスト教教会の絶大な権威となっていたのではなかったか。つまり、西洋近世哲学も西洋近代科学も、アリストテレスの哲学的な、あるいは、自然学的な枠組みを根本的に転回することによって成立する局面をもっているのではないか。そうだとすると、西洋近世や近代において乗り越えられる側である西洋中世哲学は、アリストテレス主義的なのだ、と。しかし、この見立ても、大枠としてはその通りだとしても、西洋中世哲学の内部を詳細に検討すると、非アリストテレス主義的な局面も数多く見て取られる。

以上から、西洋中世哲学を一枚岩の知的な営みとして特徴づけることは、事実上ほとんど不可能であることは否めない。実際、西洋中世哲学の現場では、実に多彩なテーマと共に、多種多様な角度から哲学的な議論を行っている姿が立ち現れてくるのである。とはいえ、西洋中世哲学の全体を通じて問われ続けた視点がないわけではない。その一つが「普遍論争」である（その他、第3章「西洋中世における存在と本質」も、こうした視点の一つであり、本章での話とも関わりをもつ）。

†普遍論争という視点

この世界には、ジョンやポチ、この机やあの机といったひとつひとつの個物しか、実際には存在していない。しかし他方で、ジョンやポチ、この机やあの机といった個物が、「犬」や「机」というカテゴリーに属すると、われわれ人間は頭の中で理解することができる。そうすると、ジョンやポチに共通するカテゴリーとしての「犬」、つまり、ジョンやポチに共通して述語づけられる（「ジョンは犬である」、「ポチは犬である」）「犬」は、はたしてどこに存在しているのだろうか。それは、実在するジョンやポチという個物のなかに内在しているのだろうか、それとも、われわれ人間の知性のうちにしか存在しないのであろうか。

この問題に対して、ボエティウス（四八〇頃〜五二四）は、真偽判定という角度から、「犬」という普遍は、ジョンやポチという個体のなかに実在していると考えた。つまり、「ジョンは犬である」という命題が真であるのは、目の前に実在しているジョンが、「犬」という在り方を何らかの仕方で実際にもっているからであり、逆に、われわれ人間は、目の前のジョンやポチといった個体を観察し、そのジョンやポチという個体の在り方から抽象するという心のはたらきを通じて、何らかの仕方でジョンやポチに内在する「犬」としての普遍的な特性をつかまえ、「犬」という普遍的な概念を心の中に抱くからこそ、「ジョンは犬だ」という命題が真だと判断できる。このような考え方が、「実在論」と呼ばれる。

他方、ウィリアム・オッカムは、「オッカムの剃刀《かみそり》」と言われる原則――同じ現象を説明する二つの理論があるとき、より単純な理論を採るべきだという原則であり、裏を返せば、ある理論が切り捨てられるのは、不必要な説明を介在させているからだという原則でもある――にしたがって、「犬」という普遍的な概念によって表現されるものをジョンやポチといった個体に内在させる必要はなく、「犬」という普遍がわれわれの心の中にある言葉や概念として存在していれば十分だと考えた。だから、「ジョンは犬である」という命題の真偽は、実際にジョンを観察して抽象することによってではなく、犬という普遍的な概念や言葉がどのような特性をもつのかによって判断される。つまり、言葉や概念同士の関係である論理学の範囲内で、真偽判定がなされるのである。このような考え方が、「唯名論」と呼ばれる。

†普遍論争の歴史的素描

こうした「普遍」の存在をめぐる論争は、歴史的に眺めてみると、確かに五〜六世紀のボエティウスにはじまり、一二世紀のシャンポーのギョーム（一〇七〇頃〜一一二二）、ペトルス・アベラルドゥス（一〇七九〜一一四二）、コンピエーニュのロスケリヌス（一〇五〇頃〜一一二五頃）らの論争を経て、一三世紀のアルベルトゥス・マグヌス、トマス・アクィナス、ドゥンス・スコトゥスらの盛期スコラ哲学へと受け継がれる局面を見て取ることができる。

そして、一四世紀のオッカムにおいて、「普遍」の実在性が不要なものとして剃刀によって剃り落とされるが、その議論において重要な論点を担ったのが、四〜五世紀の教父アウグスティヌス（三五四〜四三〇）の「記号としての言葉」や「内的言葉」の理解である。とはいえ、オッカムによる唯名論の発案によって普遍の問題が最終決着したわけではまったくなく、その後も、同じく一四世紀のジャン・ビュリダン（一三〇〇頃〜一三六二頃）、リミニのグレゴリウス（一三〇〇頃〜一三五八）、ザクセンのアルベルトゥス（一三二〇頃〜一三九〇）、ニコール・オレーム（一三二〇頃〜一三八二）といった人物によって、「唯名論」内部での理解がさらに多様化され、もはや「唯名論」という用語では一括りにすることができないとさえ思えるほどに、多様性に富んだ議論が展開されていく。

こうした状況を受け、一五世紀には、ルイ一一世(一四二三〜一四八三)によって発布された法令において、「唯名論者」と「実在論者」との対立に収斂されるような言及が見られる。さらに、トマス・ホッブズ(一五八八〜一六七九)やライプニッツ(一六四六〜一七一六)といった一七世紀に活躍した哲学者にも、この問題への言及が見られる。さらに問題圏域を敷衍してみると、実在論と唯名論との対立的な構図は、現代において、直接的には観察されていない理論的存在者(ヒッグス粒子やダークマターなど)の実在性を科学理論のなかでどのように考えていくべきかという科学的実在論論争と重なってくる面も見えてくる。

†論理学革命としての唯名論から唯名論的な哲学へ

議論が行われた時代状況や現場での文脈に応じて、さまざまな姿で見え隠れする「普遍論争」を、ひとつひとつ取り上げて紹介することはとてもできない。ただ、一五世紀以降の議論の現場から中世の「普遍論争」を眺めてみたとき、一四世紀のオッカムやビュリダンの唯名論的な立場が、一三世紀のアクィナスやスコトゥスらの実在論的な立場と対比される形で、問題群を形成していくようには見える。つまり、オッカムやビュリダンの唯名論が転機となり、劃期となっている局面があるように思われる。

オッカムやビュリダンの唯名論において核になるのは、論理学の革命であった。しかし他方で、神学や哲学（形而上学・自然学・政治学・倫理学）といった学問は、論理学を基礎的な道具として成立している。そうすると、学問の基礎的な道具である論理学が変われば、神学や哲学の実質的な中身も変わっていくということは、必然的なことだと言えるだろう。

このような理解に基づき、オッカムやビュリダンの論理学革命そのものについては、これまで詳細に研究されてきた。また、欧文文献も含めれば、その中身を知るための研究書や入門書も、比較的充実してきた。しかし他方で、彼らの論理学革命の帰結の側、つまり、哲学的な中身の変革については、まだそれほど十分に研究が展開されているとは言い難い面もある。そこで、論理学における唯名論的な変革が哲学的な理論に与えた影響という角度から、中世哲学の総括をしてみたい。

2　唯名論的な哲学がもつ二つの特徴

†存在論と認識論の分離

一四世紀の唯名論が一三世紀の実在論とは大きく異なる点のひとつは、存在論と認識論の分離である。どういうことか。いま目の前に一軒の家があるとしよう。その家の存在は、二つの局面をもつ。つまり、他のさまざまな家と共通する「家である」という局面と、逆に、他のさまざまな家とは異なる「〈この〉家である」という局面である。前者を担保するのが、事物の何であるか、すなわち、本質を表す「形相」であり、他方、後者を担保するのが、事物が何からできているかを表す「素材」である。この「素材」の側面は、家が具体的にどういったものから作られているかという意味で個別性をもたらすだけでなく、実際に素材をもって存在するからこそ、家は物体として存在し、さらに、三次元空間内のある特定の場所を占めることができる。このような意味で、「素材」の局面が個別性や個体性を担保する。したがって、「形相」が「普遍」を、「素材」が「個物/個体」を示すことになる。これが、一三世紀の実在論における存在論の基本的な構図である。

また、この世界のさまざまな個々の事物は、「形相」と「素材」の複合体として存在しているが、そうした事物は同時に、認識されることが可能なもの——可感的や可知的と言われる——としても存在している。だから、目の前のこの家を見たとき、この物体が、木造で、白くて、新築の匂いがして等々といった情報を、五感を使って取り込むことができる。このことが、アリストテレスによって「感覚とは、感覚される形相/形象をその素材を伴わずに受け入れうるものである」(『魂について』第二巻一二章)と表現される。つまり、この世界に存在する個々の事物の「形相/形象」——中世スコラ哲学においては、存在の場面では「形相」という言葉が使われるが、認識の場面では「形象（スペキエス）」という別の言葉が使われる。両者は、その機能が異なるため別々の言葉になっているが、その内容は同じである――が、そのまま感覚に受け取られて個別的な「表象内容」が形成され、この家やあの家の表象内容から個別化をもたらす要素が捨象されて抽象されることによって普遍的な概念となり、知性へともたらされる。こうして、知性は、木材とは何か、白とは何か、そして、家とは何かといった「普遍」を認識するのだが、そうした認識の根拠となるのは、目の前に存在するこの物体がもつ家の「形相」ということになる。このような仕方で、存在論と認識論とが密接にリンクする哲学的な図式を、一三世紀の実在論はもつのである（さらに詳細な説明は、第6章「西洋中世の認識論」を参照）。

それに対して、一四世紀の唯名論では、この世界に実在するものは徹底的に個物でしかなく、普遍的な要素が個物の中に実在的に内在することを認めない。つまり、目の前のこの物体が、他のさまざまな個々の家と同様に、家であると判断できる要素や根拠は、普遍として個々それぞれの家に内在しているわけではない。われわれ人間の知性のなかにある家の普遍的な概念は、記号として、この世界に実在する個々の家を示すことができるだけである――これは「代示」と言われる。だから、この世界の諸事物がどのように存在しているかという存在論と、この世界の諸事物がどのように認識されるかという認識論とのリンクは切れることになる。

†全体論的哲学から個体論的哲学へ

「この世界に実在するものは、徹底的に個物でしかない」という唯名論のテーゼは、「この世界に実在する個物のうちに、普遍が実在的に内在する」という実在論のテーゼと、コインの表裏の関係にある。さらにまた、それらのテーゼの違いは、哲学的な理論における個物と普遍の価値づけの転換をも引き起こす。つまり、普遍を基底とする全体論的哲学から個物を基底とする個体論的哲学へという転換である。

実在論においては、われわれの目に映る現実の世界の根底には普遍的な原理が実在し、その普遍的な原理に与《あずか》ることによって、個々の諸事物が存在しているという哲学的な構図を採る。だから、こうした哲学観において重要なことは、この世界に実在する個々の事物の相違や特殊性に着目することではなく、むしろ、そうした個々の事物に共通する本質、つまり、個物を包摂する普遍的な真理を捉えることなのである。さらに、こうした視点を人間の社会的な活動に反映してみると、哲学的な分析として重要になってくるのは、社会の中で生きる個々人の個性ではなく、むしろ、個々人を全体として束ね上げる共同体や国家という全体の在り方の普遍的な本質なのである。

それに対して、唯名論においては、個物の理解を個物それ自体として存在するものとして捉え、他方、普遍の理解を人間の心の中にある言葉や概念の世界にのみ、つまり、人間の精神がもつ知性認識のはたらきにのみ帰属させ、「心の外の世界」と「心の中の世界」とを明確に切り分ける方向へと、哲学的な思索の歩みを進めていく。さらに、こうした視点を人間の社会的な活動に適用すれば、哲学的な分析として重要になるのは、実在論とは反対に、個々人を全体として包摂する共同体全体や国家全体ではなく、むしろ、個々人ひとりひとりの繫がりや結びつきが、社会全体の営みを形成していくという側面である。

これら両者の違いを哲学的な議論の中に落とし込んでみると、さまざまな哲学的なテーゼや理論の相違が浮かび上がってくるのだが、ここでは、オッカムの認識理論とビュリダンの社会共同体論に着目してみたい。

3 唯名論的な哲学の現場——オッカムとビュリダン

†オッカムの認識理論

まずは、「心の中の世界」において主要な役割を果たす認識理論から検討してみよう。われわれは、「心の外の世界」にある諸事物について、どのような仕方で知り、情報をえるのかということを分析してみると、大きく「感覚知覚」と「知性認識」という二つのタイプの認識の方法があることがわかる。そして、この両者の違いは、身体器官を使用するかしないかに求められる。例えば、われわれが色や音を感じて、それらがどういった感じがするものなのかを知ろうと思えば、目を開け、耳を澄ますことが必要である。しかし、色がどれだけの光の波長なのか、音がどれくらいの空気の振動数なのかを、言葉や概念を使って考えるためには、特に目や耳のような身体器官のはたらきを必要とはしない。こうして、われわれ人間は、「心の外」に実在する個物について、身体器官を使用する感覚によって知覚し、他方で、「心の中」にある言葉や概念を使用する知性によって認識するのである。

以上のような認識の大きな枠組そのものは、基本的には、実在論も唯名論も一致している。しかしながら、これらの心のはたらきがそれぞれ、認識対象となる外界の事物とどのように関わるのかという点については異なる。実在論については、先に説明したとおり、「心の外の世界」に実在する個々の事物は、形相によってどういったものであるかが規定され、その形相が形象として感覚を通じて人間に受け取られると、知性の抽象のはたらきによって、概念として把握される。だから、「形相／形象」を通じて、「心の中」の概念の内容と「心の外」の事物の存在様態とがリンクする。

しかし、オッカムの認識理論においては、「形相／形象」の存在は否定される。その根拠は、認識のはたらきを説明するために、わざわざ「形相／形象」を理論の中に組み込むことは余分であり不要だからである。では、オッカムは、どのように人間の認識を説明するのだろうか。

感覚については、「心の外の世界」に実在する諸事物の形相が感覚器官に受け取られるという図式を否定する。そもそも、心の外の世界にある個物は、個物としてしか存在しないのだから、普遍を担うような形相や共通本性のようなものはない。だから、そうした形相や形象が、連続的に感覚に繫がることはないのである。こうして、目の前にある〈この〉ヒマワリを見たり匂いを嗅いだりする場合、〈この〉ヒマワリから色や匂いの「刻印された絶対的な性質」を外部感覚（五感）は直接的にもつ。これは、もう少しイメージしやすい言い方をすれば、心の中で感じられた色や匂いの「感じ」に等しい。そして、〈この〉ヒマワリの色や匂い、さらには形や大きさの「感じ」を基にして、内部感覚によって〈この〉ヒマワリ全体の「表象内容／感覚イメージ」を形成する。なお、前者の「感じ」を捉えるためには、実際に目の前に〈この〉ヒマワリが存在していなければならず、こうした認識をオッカムは「直知認識」と呼び、他方、後者の「表象内容／感覚イメージ」は、目の前に〈この〉ヒマワリが存在している必要はなく、こうした認識をオッカムは「抽象認識」と呼んで区別する（『レポルタティオ』第三巻第三問第一項）。

知性については、同じく目の間にある〈この〉ヒマワリを、「直知認識」によって、それを代示する記号としての語や概念——正確には、オッカムの言う概念とは「〈この〉ヒマワリについての知性認識活動（インテレクチオ）」そのものであり、知性認識活動の結果として生じるような「観念的な存在者としての概念」は否定される——の把握を行い、そしてその直知認識によって明証的な認識が成立する。その結果、知性は、「このヒマワリは黄色い」とか「ヒマワリは一般に黄色いものである」といった認識や判断を行う。

なお、その際には、いま説明した、タイプの異なる感覚の認知がはたらいているが、この感覚の認知が原因となって知性のはたらきを引き起こすわけではない。この点が、個々の表象内容から普遍的な概念を抽象するという実在論の考え方とは根本的に異なっている。つまり、オッカムにおいては、感覚と知性のそれぞれが別々に、目の前の〈この〉ヒマワリという同一の対象について認識を成立させている。というのも、われわれは物事の真偽判断を「命題（文）」の形で行う（「このヒマワリは黄色い」など）のだが、感覚によって知覚される〈この〉ヒマワリのイメージや黄色い感じそれ自体は真偽判断されるものではないので、「命題」を構成するための言葉や概念（ヒマワリの概念や黄色の概念など）を知性によって認識することが必要になるからである。だから、明証的な認識の直接的で近接的な原因となっているのは、知性のはたらきなのであって、感覚のはたらきではない。

また、感覚の場合と同様に、知性においても「抽象認識」が認められる。ただしその意味は、いま目の前に存在していることが把握できない認識のことであって、普遍の認識に限定されるわけではない。つまり、抽象認識は、明証的な認識を生み出さないため、その意味で、直知認識とは区別される。端的な事例としては、自分の心の中の喜びは明証的に認識できるため、直知認識が成立するが、しかし、他人の心の中の喜びは、本当に現に喜んでいるのかどうかを明証的に認識することはできないため、抽象認識が成立するといったことが挙げられる（『命題集註解』第一巻序論第一問）。

以上から、哲学的な論点として何を見て取ることができるだろうか。われわれの認識は、感覚であれ知性であれ、その出発点となっているのは、広い意味で「心の中」のはたらきであって、「心の外」の事物の存在様態ではないということである。これが、存在論と認識論とのリンクが切れているということの意味である。しかし、これがどういった議論と連絡してくるのか。それは、近世の観念論的な世界観である。「心の外の世界」に存在する家や黄色いヒマワリが原子から構成されているとすると、原子そのものにはもちろん色や音や匂いといったものはなく、さらには、われわれは原子そのものを直接観察することさえできない。だから、その原子によって触発されて心の中に作られた黄色や家やヒマワリの感じや観念や概念といった心の中のものが、われわれの認識の出発点になるのであって、外界の諸事物そのものがもつ性質などではない。

こうしてその後は、心の中の概念や観念を命題として結合したり分析したりすることによって、われわれは物事の理解を進めていく。だから、哲学的な分析は、「心の外の世界」の事物そのものについてのものではなく、むしろ、われわれの「心の中の世界」にある観念や概念についてのものであるという構図を採ることになる。もちろん、近世の観念論が中世の唯名論から直接的に生み出されたわけではまったくない。ただ、オッカムのこうした認識理論は、近世哲学の観念論的な知的風土の下地作りにはなっていたと言えるかもしれない。

†ビュリダンの社会共同体論

次に、「心の外の世界」において主要な役割を果たす社会共同体論を検討してみよう。近年の環境倫理学や政治哲学において、生態系中心主義や共同体主義といった全体論的な理論に注目が集まっている。これらの議論の基本的なアイディアは、個々人を全体として束ね上げる共同体全体や国家全体という在り方を優先する実在論の考え方と相性がいい。例えば、海外で見知らぬ日本人が世界遺産に落書きをしてしまったとき、「同じ日本人として」恥ずかしく思うといった感覚が芽生えてくる。もちろん、個々人の在り方を徹底すれば、日本という国家共同体を背負ったような責任の感覚は生まれるはずもないのだが、しかしどこかで、日本という国家共同体の一員として存在する私という在り方を承認しているようにも思える。このように、共同体を個人に優先させる考え方は、個体のうちに内在する普遍的な在り方を優先させる実在論的な発想と連絡しやすい。

しかし他方で、このような全体論的な理論が近年注目され始めたということは、その少し前、少なくとも二〇世紀前半までは、これとは反対の考え方が優位に立っていたということでもある。その考え方は、個々人を特定の共同体の一員に落とし込んで考えるのではなく、すべての個々の人間がまさに個々人のレベルで、つまり、人間が人間である限りで、自由や権利をもつという個人主義的な考え方である。こうした考え方は、イマニュエル・カント（一七二四〜一八〇四）やジョン・スチュアート・ミル（一八〇六〜一八七三）らの近代の人間観と言ってよいだろう。

以上のことを念頭に置きながら、ビュリダンの社会共同体論について検討してみよう。社会共同体は、基本的には、会社や役所のように、階層的な秩序構造によって成立している。そして、社長は会社全体に対して、部長は部全体に対して、課長は課全体に対して配慮し、その責任を負う。そして、会社を実際に構成している各社員は、例えば、経理課員であれば経理課のために、さらに経理課の上位部門である財務部員としての仕事が要求されれば財務部のために、そして、社外の人との交渉においては会社のために仕事をする。このように考えると、個人を個人である限りで捉える視点はなく、例えば、一経理課員と経理課長や財務部長、さらには社長とのあいだで、友愛関係が成立するとはなかなか考えにくい。

しかし、ビュリダンは、その場合にも、本当の友愛関係が成立しうると考えている。そのための条件は、お互いに明示された好意的な愛があること、さらにお互いに誠実さに配慮するという類似性をもつこと、そこからさらに、お互いに意志のコミュニケーションが成立しており、しかもそれが自身の自由な判断であること、そして最後に、相手を人間として敬うこと、である（『ニコマコス倫理学問題集』第八巻第一五問題）。

こうした諸条件において、実在論を支持する哲学者たちと大きく異なると言えるのは、共同体全体を優先的に考えるのではなく、むしろ、その共同体を成立させているひとりひとりの人間同士の関わり合いを優先するという視点である。つまり、一経理課員が財務部長とコミュニケーションをとるとき、自分はあくまで経理課員だからとか、財務部長だからとかいった会社内での社会的立場や地位を土台に据えてしまうと、そこには、相手を人間として尊重し、自身の自由な判断に基づいて、自分の本心をお互いに通じ合わせるといったことは起こりにくい。その意味で、社会的立場や地位はいったん括弧に入れて、お互いに対等の人間としてコミュニケーションをはかっていくということが、本当の友愛関係を築く第一歩となる。そして、このことは、社会的地位が異なる者同士でも、原理的に可能だと、ビュリダンは考えている。

このような個人レベルでの繋がりが、全体の繋がりを作り上げていくという発想は、さらに別の文脈の議論においても見て取ることができる。例えば、ビュリダンが倫理学の議論を行うに際してしきりに強調するのが、「共同体の中での地位や立場が何であれ無差別に」（同書第一巻第六問題）ということである。もちろん人は、特定の共同体のなかで生まれ育って生きていくのだけれども、しかし、そうした共同体の中での地位や立場から生じる特殊性はいったん括弧に入れて、ひとりひとりの人間として、そのあるべき姿を考察するという方向性を倫理学の考察に求めている。さらには、「国家は人々のためにあるのであって、その逆ではない」（同書第一巻第六問題）と明言し、ひとりひとりの人間同士の繋がりが、その結果として、共同体という集団を形成する方向性を打ち出す。つまり、共同体全体や会社全体が優先されるものとしてあるわけではなく、むしろ、お互いにそれぞれ他人であるひとりひとりの人間が、共同体的な公共心やコミュニケーションによって絆を作り、その絆を基にして共同体や会社を作り上げていくという考え方をビュリダンは主張するのである。

このようなビュリダンの議論から、どういった哲学的な意義を見いだすことができるだろうか。一つには、個人の自由や人間としての尊厳を尊重するといった近代的な個人主義的人間観に繋がりうるような姿勢を見て取ることはできるだろう。しかし他方で、共同体主義的な側面が、まったくなくなっているわけではない。とはいえ、ビュリダンの共同体主義的な理論は、共同体が個人の在り方や生き方を規定するといった意味での共同体主義の考え方ではない。われわれ人間は、他人との繋がりの中でしか生きていくことができないため、すでに構築された社会共同体ありきで考えがちであるが、そうではない。むしろ、共同体の一員として現に生きているわれわれ個々人をベースに考え、共同体内の各成員が自由闊達なコミュニケーションを通じて、その時々の現実の場面や状況に応じた最善の絆を築くことによって、自分たちが属する共同体の在り方そのものを変革し、より善い共同体を自分たちひとりひとりの手で作り上げていくといった、社会共同体論の新たなオルタナティブの可能性もまた提示されているのである。

このように、西洋中世哲学の総括として唯名論的な哲学を眺めてみたとき、われわれは西洋近代的な合理主義や個人主義へと連なる思想的潮流が穏やかに浸透しはじめるさまを見てとることができるかもしれない。しかし他方で、それでもなお、西洋中世哲学と西洋近世・近代哲学とのあいだには、哲学的構造の截然たる懸隔があるようにも思える。西洋近代的な世界観に限界や閉塞感を感じたとき、もう一度、西洋中世哲学の多様性に満ちた世界観から現代世界の在り方を見直してみると、そのブレイクスルーの嚆矢となる風景が見えてくる可能性はあるだろう。

さらに詳しく知るための参考文献

川添信介『水とワイン――西欧13世紀における哲学の諸概念』(京都大学学術出版会、二〇〇五年)……一三世紀スコラ哲学での神学と哲学との関係を明快に論じた専門書。

渋谷克美『オッカム『大論理学』の研究』(創文社、一九九七年)……オッカム『大論理学』第一部の精密な分析に基づくオッカム論理学の専門書。

渋谷克美〔訳註〕『オッカム『大論理学』註解 I〜V』(創文社、一九九九〜二〇〇五年)……オッカム『大論理学』全三部の精確な翻訳と詳細な註釈。

山内志朗『新版 天使の記号学――小さな中世哲学入門』(岩波現代文庫、二〇一九年)……普遍論争を含めて、「見えるもの」と「見えざるもの」との対比という視点からの中世哲学入門。

リチャード・E・ルーベンスタイン『中世の覚醒――アリストテレス再発見から知の革命へ』(小沢千重子訳、ちくま学芸文庫、二〇一八年)……アリストテレス哲学を核とする中世哲学の知的大革命を、綿密な二次文献調査に基づきながら、スリリングな物語として紡ぎ出す秀逸な中世哲学の歴史の入門書。

コラム4 東方のキリスト教

秋山 学

本コラムでは、ローマ帝国を二分した際の「東方」、つまりビザンツ起源のキリスト教を主に取り上げ、「典礼」を軸に考えてみたい。キリスト教の典礼は西方（ローマ）典礼と東方典礼に分かれるが、後者のうち最大の共同体がビザンティン典礼教会である。欧米には、中・東欧のビザンティン典礼教会を母体とする「ギリシア・カトリック教会」の信徒が多数見出される。その中でも「ウクライナ・カトリック教会」はよく知られている。

これら「ビザンティン典礼（ギリシア）・カトリック教会」は、一〇五四年の東西教会の分離以降、ビザンツ帝国の弱体化に伴い、皇帝やコンスタンティノポリス総大司教が教皇をはじめとする西方に救援を求めた結果、東西の教義上の対話を目的に公会議が行われたことを自らの起源とする。主な公会議としては、第二リヨン公会議（一二七四）、フェッラーラ・フィレンツェ公会議（一四三八〜一四三九）が挙がる。これらの公会議では、東西教会の合同が決議されたものの、ビザンツ本国では猛反発を買い、議決は無効とされて「正教会」を生む。ただ後世、これら公会議の決議に従い、一五九六年には「ブレストの合同」により「ウクライナ・カトリック教会」が、一六四六年には「ウジュホロド（現ウクライナ）の合同」により「ルテニア・カトリック教会」が各々《おのおの》成立する。また教皇庁と、ビザンティン典礼以外の東方キリスト教諸教会の間でも、教会合同のための会議がその前後に行われ、近世以降「東方典礼カトリック教会」と呼ばれる共同体が順次誕生する。

ビザンティン典礼教会をはじめとするこれら「東方典礼カトリック教会」は、教会法上、ローマ典礼カトリック教会と組織上対《つい》を成し、ローマ典礼教会の教会法が一九八三年新たに公布されたのに対し、東方典礼カトリック教会を対象とする教会法は一九九〇年に刊行された。東方典礼カトリック教会は、ローマ教皇の首位権を認めつつ教会法と典礼様式に関しては東方固有のものを護持する、という原則のもとに教会合同を果たしている。ローマ典礼がミサを頂点としてこれに収斂する傾向を持つのに対し、ビザンティン典礼では、主日（日曜）の前晩に行われる晩課、主日朝の朝課、時課（計四回）、そして聖体祭儀を中心とした、聖堂での共同体としての祈禱に「奉神礼《ほうしんれい》」としての意義を認める。またローマ典礼は、降誕と復活を中心とした二極構造の典礼暦を持つのに対し、ビザンティン典礼では、受難・死から復活・昇天・聖霊降臨に至る時期を頂点とした一極構造の典礼暦に拠る。

そして西欧化した地域（ハンガリーなど）では、グレゴリウス暦の採用により、降誕や復活など同国内のローマ・カトリック教会とギリシア・カトリック教会の諸祝日が一致する結果、多様な典礼様式のうちに「普遍教会」が体現されるという状況が現出している。

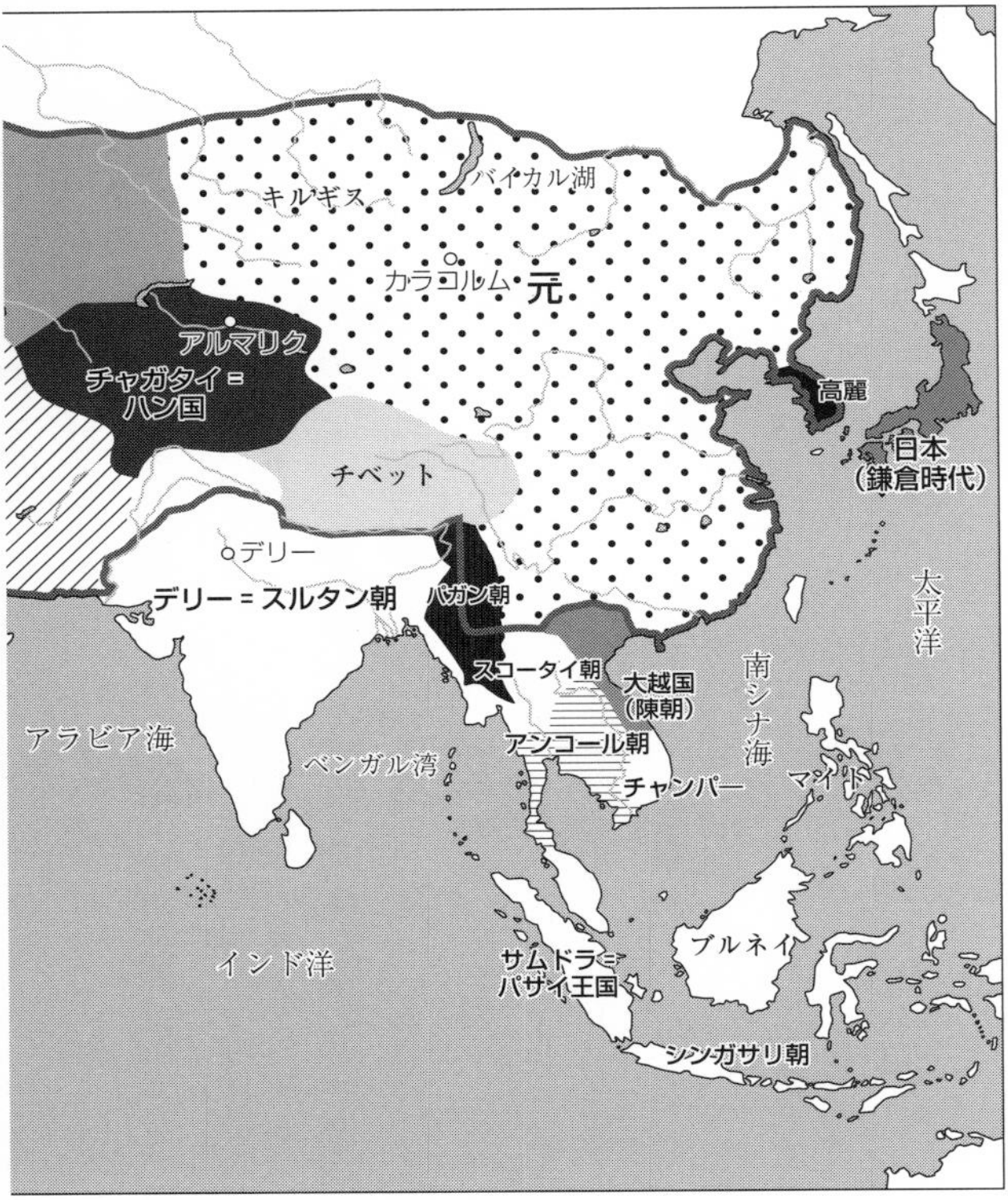
バイカル湖
キルギス
カラコルム
元
アルマリク
チャガタイ＝
ハン国
高麗
日本
（鎌倉時代）
チベット
デリー
デリー＝スルタン朝
パガン朝
太平洋
南シナ海
スコータイ朝
大越国
（陳朝）
アラビア海
アンコール朝
ベンガル湾
チャンパー
マイド
ブルネイ
インド洋
サムドラ＝
パサイ王国
シンガサリ朝

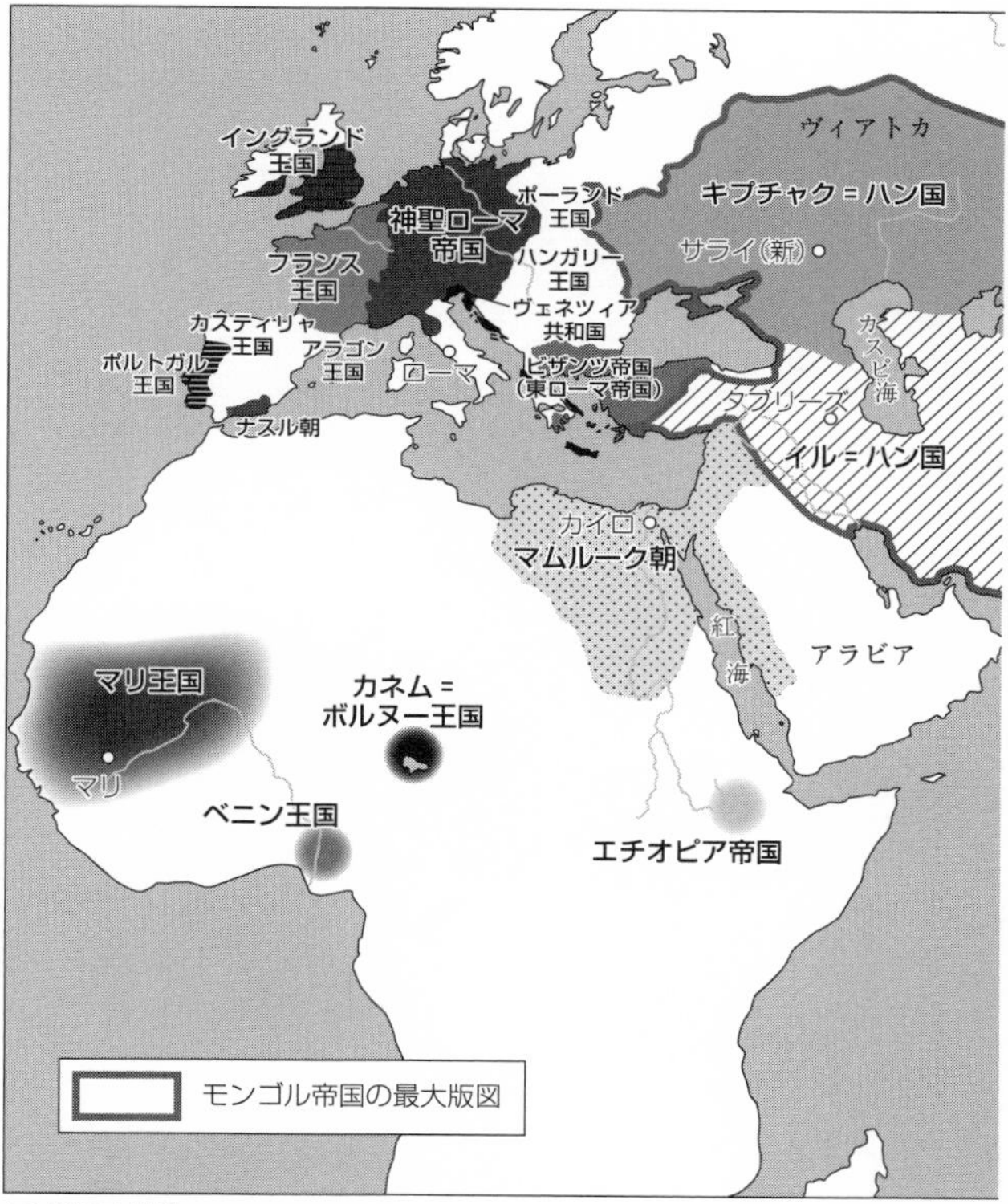

ヴィアトカ
イングランド
王国
ポーランド
王国
キプチャク＝ハン国
神聖ローマ
帝国
サライ(新)
フランス
王国
ハンガリー
王国
ヴェネツィア
共和国
カスティリャ
王国
ポルトガル
王国
アラゴン
王国
ローマ
ビザンツ帝国
(東ローマ帝国)
カスピ海
タブリーズ
ナスル朝
イル＝ハン国
カイロ
マムルーク朝
紅海
アラビア
マリ王国
カネム＝
ボルヌー王国
マリ
ベニン王国
エチオピア帝国
モンゴル帝国の最大版図

13 世紀の世界

第8章

朱子学

垣内景子

1 中国儒教の再生と「個人の覚醒」

†聖人学んで至るべし

朱子学が生まれる前夜の北宋の時代、中国儒教にとって起死回生の大きな転機が訪れた。漢代以降長らく国教の地位に祭り上げられ、生きた思想としての活力を失いつつあった儒教は、北宋の時代に至って新たな再生を遂げ、思想としての生命力を取り戻す。それはまた、その思想を生きる中国の知識人に「個人の覚醒」を促すものであった。この転機をもたらしたものは、一つが科挙の再開であり、もう一つが仏教の影響であった。

科挙とは、官僚登用のために行われた国家試験のことで、その最重要科目は儒教の経典（経書）であった。宋王朝は、戦乱の時代に中断されていた科挙を整備し再開することによって、平和な文治時代の到来を内外に表明したのである。この科挙の再開によって、儒教はより広範な中国知識人の教養の共通基盤となっただけでなく、儒教を学ぶことが現実における彼らの社会的地位に直結し、政治の場や自らの生き方の問題に結びつくきっかけとなった。何よりも、自らの努力や能力によって活躍の場を勝ち取る可能性が開かれたことによって、儒教は個々人の生き方と密接に関係した思想として再生を果たしたのである。

自らの努力や能力によって、自らが政治的に活躍できる場を獲得した科挙官僚たちにとって、儒教は単なる机上の空論や綺麗事にとどまらず、時に現実の政策の根拠となるものでもあった。北宋は、政治的党派がそのまま思想的学派を形成した希有な時代であり、その中の一派「道学」を継承して、北宋に続く南宋の時代にそれを集大成したのが朱子学の祖である朱熹《しゅき》（一一三〇～一二〇〇）であった。

道学者たちは、その自負心を込めて「聖人学んで至るべし」を宣言する。誰もが学問に努めることによって聖人に至ることができるというこのスローガンは、従来の聖人の意味を大きく変えた。聖人とは、野蛮な人類のために文化や制度や道徳を作ってくれた古の特定の聖王たちにとどまらず、孔子のような人格の完成者として万人に開かれた目標となったのである。万人に聖人となる可能性を認めたこの宣言は、仏教の「悉皆成仏（誰もが仏になる可能性がある）」への対抗でもあったが、儒教の正統的テーゼである「性善説」の新たな表明でもあった。この自覚と自負のもと、人は誰でも個々に自己向上に励まなければならないということが、道学すなわち朱子学の大前提となったのである。

†心への関心

こうした個々人の自己向上への自覚は、同時に個々の心に対する関心を導いた。すなわち、人格の完成は、何よりも心において成し遂げられなければならないのであり、心という内面の発見こそがこの時代の儒教再生の最大の意義であったのだ。この心への関心も、仏教、特に禅への対抗がもたらしたものであった。外界に振り回され揺れ動く不安定なこの心をいかに安定させるか、こうした極めて現実的な心の問題に対する具体的対処法とそれを支える高遠な理論体系をもつがゆえに、仏教は中国に浸透し、知識人たちの密かな支持をも集めていた。儒教が生きた思想として主権を奪還するためには、何をおいてもこの心の問題において、実践的にも理論的にも、仏教以上の説得力を獲得しなければならなかったのである。

朱子学において、万人が目指すべき聖人は、孔子の語った「心の欲する所に従いて、矩《のり》を踰《こ》えず」(『論語』為政篇)のように、現実のあるがままの心と、あるべき秩序としての「矩」とが何の齟齬もなく一体となった境地としてイメージされる。この「矩」は、朱子学においては「理」という概念に相当するが、このように心を外的規範としての「矩」すなわち「理」との関係で考え、万人にとって抜き差しならないこの心の問題こそが儒教の最優先課題であることを再確認したところに、朱子学の核心があるのであった。つまり、朱子学とは、個々人の自己陶冶を目的とし、内面の心と外界の「理」との関係を追究した学問なのである。

2　心学としての朱子学

†心は性と情を統ぶ

中国思想史では一般に、「心学」という名称は朱子学を批判した陽明学を指し、その場合朱子学は「理学」と呼ばれる。しかし、上述のように、朱子学の核心が心の問題である以上、ここでは敢えて朱子学を広義の「心学」として捉え、その「心学」が「理学」と呼ばれ、狭義の「心学」に批判される経緯に注目したい。

朱熹はまず、心を「性」と「情」とに分けて説明する。「性」とは、そのものが生まれつき備えている本質・本性であり、人間にとっての「性」が本来善きものであるというのがいわゆる「性善説」であった。つまり、「性善説」とは、人間の本質を道徳的に規定し、それを心に内在させたものなのである。この「性」は、いわば人間の心の本来の姿であると同時に理想の姿であるのだが、我々はこの「性」を直接認知することはできない。我々が知り得るのは、その「性」が外界の働きかけに応じて動いた段階で、これが「情」と呼ばれる。つまり、我々が一般に心と呼ぶものは、朱子学的に厳密にいえば「情」を指しているのであり、その「情」の動く前の根本として「性」が想定されているのであった。

善なるものと規定された「性」を有するにもかかわらず、現実の心の動き、すなわち「情」が時に不善を含むのは、心の動きやその心を内蔵する肉体がすべて「気」の影響を受けるからである。この「気」による妨害や限定を克服できれば、人は誰でも限りなく善なる「性」のままに「情」を発揮させることができる。これが先に述べた「聖人」の境地なのであり、個々人の目指すべき理想の心の状態なのであった。

このように心を「性」と「情」に分けて説明することで、朱熹は、現実の心に不善があり得るにもかかわらず、「性」は絶対的に善であるという「性善説」を守ることに成功する。なおかつ、現実の不善を明確に位置づけ、その克服の可能性を根拠づけたことになる。そして、朱熹はその上で改めて「心」を再定義する。その際に援用したのが、北宋道学者の一人張載の「心は性情を統《す》ぶ」という言葉であった。ここにいう「心」は、単に「性」の発現としての「情」というような心の一連の動きをいうのではなく、「性」「情」とは別の次元から両者を包摂・統括するものである。この「心」とは何なのであろうか。

†「工夫」への意志としての「心」

朱熹が張載の言葉を援用しながら再定義した「心」の意味を見易くするために、次のように図示してみよう。

「心」	性	善	本来・理想	あるべき	理	「工夫」
	情	善悪	現実	あるがまま	気	

ここにいう「心」は、あるがままの心である「情」にもあるべき本来の心である「性」にも、どちらか一方に還元することはできない。「心」は、常に両者を同時に見据え、決して一方になってしまってはならないのだ。あるべき理想とあるがままの現実を同時に見据えるとは、両者の間の隔たりを意識し続けることに他ならない。そして、その上でその隔たりを埋めるべく努めること、これが「工夫」と呼ばれる学問修養の努力や実践であった。つまり、朱熹のいう「心」とは、あるがままの心でも本来かつ理想のあるべき心でもなく、その両者を常に同時に引き受け、両者の隔たりを意識しつつも、その距離を埋めるべく努力する心、すなわち「工

夫」への主体的意志を意味するのであった。

朱熹のいうこの「心」をより一般化すれば、それはいわゆるやる気や向上心、主体性などに当たるものと言えよう。つまり、自らの現実に満足せず、その向上と理想の実現を信じて頑張り続ける時にのみ、朱子学のいう「心」が立ち現れるということである。逆に言えば、自己満足や自暴自棄こそ、「心」を失わせてしまうことに他ならないのであった。

では、我々はどのようにしてこの「心」を保ち続けることができるのか。やる気の持続をそれこそ気持ちの問題というような精神論に引き戻してしまうわけにはいかない。

以下、朱熹がこの主体性としての「心」を維持するために、現実のこの心という厄介なものにいかにアプローチしたかを見てみたい。

†心への迂回路

朱熹が主体性としての「心」を保持するために示した方法は二つある。一つは「居敬」であり、もう一つは「格物窮理」である。いずれも、心のための方法でありながら、心に直接働きかけることを極力避けた、心への遠大な迂回路であった。朱熹は、心で心をコントロールすることの矛盾や困難を熟知していたのである。

「居敬」あるいは「敬」とは、意識的に心の集中・緊張状態を作る方法である。「敬」の字は

「うやまう」「つつしむ」と訓ずることができ、自分よりも上位の対象の前での緊張感を想起させるものであるが、そうした特定の場面に限らず、日常の個々の動作・場面において一つ一つの対象に集中し、丁寧に慎重に執り行うこと、そのためには服装や表情や姿勢など外面的・形式的なことを厳粛に整えること、これが「居敬」なのである。つまり、心以外の外的な対象に意識を向けることによって、結果的に心の集中や緊張が生まれ、主体性としての「心」が保たれるよう仕向ける方法が「居敬」なのである。

同様に、朱熹は「心」の保持のために、心の外の事物の「理」を対象とする「格物窮理」を説く。具体的には儒教経典を読むという読書行為が第一義となる「格物窮理」を通して、これも結果的に「心」が維持されることが期待されているのであった。「格物窮理」については次節で改めて取り上げるが、この方法もあくまでも心を対象にしない「心」のための方法であったことを銘記されたい。

3 理学としての朱子学

†格物窮理

心のための朱子学が「理学」と呼ばれ、その弊害がいわゆる「心学」すなわち陽明学によって批判されるという皮肉は、もちろん朱子学の「理」概念そのものに由来する。「理」は、朱子学を最も特徴付ける概念であると同時に、危険を孕む概念でもあったのだ。

「理」とは何か。朱子は次のように明確に定義している。

天下の物に至りては、則ち必ず各《おの》おの然《しか》る所以《ゆえん》の故と当《まさ》に然るべき所の則《のり》有り、所謂理なり。
(『大学或問』)

「然る所以の故」とは「それがそれである根拠・理由」、「当に然るべき所の則」とは「それがそれであるかぎり当然そうであるはずの法則性、そうでなければならない当為・役割」を意味する。つまり、この世界のあらゆる物事はそれぞれ個別の意味・価値・役割があり、それがその物事の「理」であるということだ。朱熹はさらに、人の知はその「理」を知り得ると考えた。

あらゆるものには「理」があり、人はそれを知り得るという朱子学の考えは、同時に人は「理」を知ることによってのみ心の安定が得られ、主体性としての「心」を保つことができるという考えを前提としたものでもあった。心の不安を引き起こし、主体的意志としての「心」を喪失させるのは、「理」を十分に知り得ていないからに他ならない。そこで強調されるのが

「格物窮理」という方法であった。

「格物窮理」の「格物」は、朱熹の重んじた儒教経典の一つ『大学』に由来する言葉である。朱熹は「格物」を「物に格《いた》る」と訓《よ》み、「物に即してその理を窮める」と解釈した。原文にはない「理」の字を持ち出して「格物」を理解したのである。因みにここにいう「物」とは、単なる物質にとどまらず、意識の対象としてひとまとまりの物事すべてを指す。朱熹は「格物窮理」の意味を次のように説明している。

> 格物は、絶対にそうであることを本当にわからなければならない。子として孝でなければならないことを知らないとか、臣下として忠でなければならないことを知らないなどということがどうしてあろうか。そういうことは人は誰でも知っているのだ。ただ、子であれば絶対に孝でなければならず、臣下であれば絶対に忠でなければならないことを、本当にわかって、絶対にそのように行動しなければならないのだ。（『朱子語類』巻一五）

格物とは、事物に即して当然の理を求めることにほかならない。たとえば、臣下の（理である）忠は、臣下であればおのずと忠でなければならず、子の（理である）孝は、子であればおのずと孝でなければならない。ためしに子たる者が不孝の行いをして自分の心がどう感じるかみてみればよい。火は熱く水は冷たいのは、火や水の性が自然にそうであるからだ。あらゆる物事について当然のところを求めるだけのこと、求めすぎてはいけない。求めすぎると怪しげなことになってしまう。(同上、巻一二〇)

親子関係という「物」において、子としてのあるべきあり方、すなわち子としての「理」は「孝」である。このことは、子としての自然な感情であり、誰もが本来知っているはずである。それなのに、なぜ「孝」でないことが起こり得るのか。それは、知り方の程度が浅く、本当の意味で知らないからに他ならない。本当に「孝」がよいことだと知っていれば、考えるまでもなく嬉々として「孝」を行うはずである。つまり、「孝」という「理」において「窮める」とは、子としては「孝」でなければならず、「孝」であることが最も自然で正しいことで、そうすることが最も心安らかであるということをどこまで身に染みて真に知っているかという実感の深さをとことん「窮める」ということなのであった。

「理」は本来万人にとって自明で当たり前のものなのであるが、人はそれをどれだけ深く実感的に知っているのか。それぞれの物事がどうしてもそうでなければならず、それ以外あり得ないということ、そして世界はそうした「理」の網にすっぽり覆われていて、例外はあり得ないということを、人はどれだけ身に染みて知っているのか。こうした知の実感を深めることこそが、「窮理」における「窮める」という意味なのであった。そして、その実感を深めるためには、「物に格《いた》る」、すなわち現実の物事に直に対峙する以外にないのであった。

朱熹にとって、「理」を「窮める」とは、いわゆる「真理の探究」のような未知の「理」の探究を意味するものではない。「理」を奥深い彼方に想定し、実感を離れて知を無限に拡大させることを朱熹はむしろ警戒していた。「求めすぎてはいけない。求めすぎると怪しげなことになってしまう」という朱熹の言葉は、そうした人間の理知の危険な性《さが》を戒めたものであったのだ。

†理学者朱熹の合理批判

ここでもう一度、「格物窮理」が何のために持ち出された方法であったかを思い出しておきたい。「格物窮理」は、もう一つの方法「居敬」とともに、現実の心の不安を解消し、主体性としての「心」を見失わないための方法であった。外界の物事の「理」を意識の対象とする「格物窮理」を通して、心で心を操作するという矛盾を回避しつつ、内面的な心の問題を結果的に解決することが求められたのである。それと同時に、「理」を知りそれを心底確信することが、心の不安や矛盾を解決すると考えられていたのである。つまり、朱熹にとって「格物窮理」は、すみずみまで合理的な世界を完全に知り得る人間理性の可能性を主張するものであったのだ。
しかしながら、その一方で、朱熹は「理」の孕む危険性に十分に意識的でもあった。それは、「理」による現実の単純化・抽象化ということができよう。言い換えれば、人間は心の安定のために世界をかくも単純化し、人間の知性をかくも楽観的に信じてよいのかという問いかけでもある。朱熹は次のように語っている。

『大学』は窮理と言わず、格物と言っている。つまり、理と言えば捉えどころがなくなってしまい、物は時として理を離れてしまうのに対して、物と言えば理はおのずからそこにあり、自然と物と理が離れることはないのだ。(同上、巻一五)

人はしばしば理をなにか宙に浮いたもののように見なしてしまう。『大学』が窮理と言わず格物とだけ言っているのは、人に事物に即して理解させようとしたからで、そのように考えてこそ実体がわかるのだ。ここにいう実体とは、事物に即してでなければわからない。たとえば、舟を作って水の上で動かし、車を作って陸の上で動かすようなもので、ためしに舟を陸の上で動かしてみるがよい。たとえどれだけ多くの人が力を合わせても、動かすことはできはしない。その時、人は初めて舟は陸の上を動かすことができないということがわかるの

だ。これが実体だ。（同上）

「理」よりも「物」を、という朱熹の発言は、自らが付け加えた解釈を否定するもののようでもあるが、「理」を言わなければ、我々は世界を説明し、心の安定を得ることができない。しかし、「理」を言い出してしまった者の責任として、朱熹はその危険性について警告を発し続けざるを得なかったのである。朱熹にとっては、「理」は何よりも「物」と表裏一体のものとしてのみ確認できるのであり、何が「理」かという根拠も、現実の心の実感以外にはないはずであった。しかし、「理」は言葉として抽象的に語られ、容易に「物」との密接な関係を見失う宿命にある。その結果、何が「理」であるのかを支える根拠は脆弱なものにならざるを得ず、時に「理」の根拠は恣意的なものになってしまう。

朱熹の危惧の通り、「理学」はいずれ現実との密接な関係を希薄化させ、心の実感とは別のところで、むしろ心を縛るものとして機能し始める。狭義の「心学」すなわち陽明学は、「理」によって抽象化した心の実感を取り戻すために、敢えて再び「理」に対する心の優位を主張したのであった。

†窮理と経学

あらゆる物事にはそれぞれ「理」があるとした朱子学にとって、「格物窮理」は原理的にはあらゆる事物を対象とするものであるが、実際には優先すべき対象があった。経書を読むという、儒教経典における「格物窮理」がそれである。

経書とは古の聖人たちが我々のために残してくれた言葉であり、この有限の書物群の中に、我々に必要な「理」のサンプルはすべて備わっている。我々は、経書における「格物窮理」を通して、何が「理」であるのかの基本的パターンをあらかじめ知るとともに、あらゆる物事にはそれぞれ必ず「理」があるというこの世界の確かさを実感できるのである。これは、「理」は自明であるとしつつも多様な現実の中で時に何が「理」なのかを迷わざるを得ない我々にとって、大きな助けとなる。否、助けという以上に、この事前の訓練なしには、現実の物事の「格物窮理」はそもそも成り立たない。経書における「格物窮理」は、「理」の根拠を保証してくれるものとしてなくてはならないものなのであった。

経書の存在は、朱子学ひいては儒教全体にとって不可欠なものであった。経書という権威ある絶対の言葉をいかに読み解くかという経学こそが、孔子の「述べて作らず」(『論語』述而篇)という宣言以降の儒者にとっての本分といっても過言ではない。朱子学においても同様で、朱熹の主著は経書の注釈書であり、他学派に比べて経書の注釈書が備わっていたことによって、後世朱子学は体制教学となり、その力を長く保ったのであった。

経書が存在し、それが「理」の根拠として機能したことは、ともすると主観的・恣意的になりかねない心の問題領域において、朱子学が一定の客観性を保つことを支えるものであった。朱熹の危惧した人間理知の暴走も、朱子学が儒教の原則に則り一義的には経学であることによってのみ回避され得るものなのであった。

4 朱子学から考える

†経学なき時代の窮理

朱子学において、経書という存在は不可欠なものであった。それは、「理」というこの世界の意味や価値を一義的に決定してくれる根拠であったからだ。経書がなければ、「理」はその根拠を失い、自明で自然であるという名目のもと、最も恣意的な心の実感に委ねられるか、現実の社会における多数者や強者の意見に左右されざるを得ない。とは言え、何が正しく妥当であるのか、どうあるべきなのかといった「理」の内容を絶対の権威のもとに一義的に決めるということがそもそも、現代の我々から見れば容易には受け入れられないものであり、それこそが朱子学を過ぎ去った古い時代の思想と見なす者に格好の口実を与えるにちがいない。

今日の我々は、経学のない時代に生きている。経学なき時代において、我々はいかに「理」を信じ得るのか。どのようにして物事の意味や価値や意義を確定し、何が正しく妥当であるかを確信して安心できるのであろうか。

いっそ「理」などないと言ってみたらどうか。何が「理」であるのか、すなわち何が正しく妥当であるのか、その根拠を絶対視することがためらわれるのであれば、そもそも何のための「理」であろうか。しかし、あらゆる物事には意味もなく価値もなく、何が正しく妥当であるのかということに根拠もないとしたら、我々はおそらく心安らかに生きていくことはできない。「理」は人の心を楽にしてくれる。「理」があるからこそ、自らの判断や行為が「理」に適い正しく妥当であると感じるからこそ、人は安心して生きていけるのだ。もちろん、人の心は存外正直なもので、心の楽さを得んがために安易にすがりついた根拠は、いずれ自らの心に不安をもたらすであろうが。

我々はむしろ、経学を前提とすることによって朱熹が得たものに注目すべきなのであろう。古の聖人を信じ、経書を拠り処とすることによって、朱熹は相対的でしかあり得ない現実の世界をきわめて謙虚にそして客観的に説明しようとする。絶対の経書の前で、限定的でしかあり得ない存在だからこそ、朱熹は自らの主観を極力廃することができたのではないか。そう考える時、絶対を信じるという、人間の理知とは相反するような態度をそれこそ理知的に選ぶ覚悟こそが、朱熹に世界を説明し心安らかに生きる自由を与えていたと言えるのではないだろうか。経学なき時代に生きる我々にとっても、「理」を求めることは避けられないのかもしれない。しかし、朱熹たちのように「窮める」ことの困難な我々は、心の不安を抱えながら、朱子学とは別様の「窮理」を試み続けるしかない。この試みは、朱子学が過去のものとされたばかりの明治の我々の先人たちの格闘に始まるものであった。

†窮理と近代学問

明治の初め、怒濤のように押し寄せる西洋由来の横文字の学問を必死で受け止めようとした日本人は、その名称や用語の多くを朱子学の用語を用いて翻訳した。当時の日本の知識人にとって、学問といえば朱子学に代表される漢学であったのだ。「窮理学」あるいは「理学」という名称は、当初は物理学や哲学を指すものとして用いられ、今日でも我々は「物理学・心理学・倫理学・地理学・生理学」等々「○理学」という学問名称を使っている。物質の「理」を「窮める」のが物理学、人間の心の「理」を「窮める」のが心理学ということなのであろうが、この翻訳は果たして妥当なものであったのか。今改めてこう問い直してみることは、我々の常識的な学問・研究観を見つめ直すことにつながる。

たとえば、現代に生きる我々にとって、物理学とは物質の何をどうする学問であるのか、心理学とは人間の心の何にどうアプローチする学問なのか。その何かを明治の初めの人たちは「理」と呼び、どうすることかを「窮める」という言葉で表現したのである。さらに言えば、あらゆる物事には「理」があり、人はそれを知り説明できるという朱子学の前提は、近代以降の学問・研究においても無自覚に継承されているのかもしれない。こうした我々の先人の西洋受容は、すでに述べた朱子学の「窮理」の意味を踏まえる時、果たして適当であったのだろうか。朱子学用語による翻訳のせいで、我々は西洋由来の諸科学を十分に受容できなかったということはないのだろうか。朱子学の「窮理」が我々の学問・研究とはかけ離れたものであるというのならば、それでは現代の我々の学問・研究とは端的に何をどうすることなのだろうか。

今日なおこうした問いかけを続けることは、朱子学の洗礼を受け、その素地のもとに西洋近代の諸学問を受け入れざるを得なかった東洋の我々が、現代において朱子学を過去の遺物として完全に葬り去るために不可欠な作業と言えよう。

さらに詳しく知るための参考文献

垣内景子『朱子学入門』（ミネルヴァ書房、二〇一五年）……最も平易な朱子学の入門書。東アジアの思想原理である朱子学の世界観と基本概念を、まったく東洋思想や哲学の知識を持たない人を対象にわかりやすく解説した、言わば入門のための入門書。上述の本文は、この拙著を要約したものであるから、本文を通じて朱子学に興味をもった人にはぜひ一読を勧めたい。

土田健次郎『儒教入門』（東京大学出版会、二〇一一年）……朱子学を含む儒教全体についての入門書。入門書ではあるが、この分野の第一人者が学界の最高の議論を踏まえて解説したもので、内容的にはきわめて重厚なものである。朱子学の奥行きを知るためには必読の書である。

土田健次郎『江戸の朱子学』（筑摩選書、二〇一四年）……日本の江戸時代の朱子学を解説したものであるが、朱子学そのものの構造についても簡潔にまとめられている。日本の思想史において、朱子学の果たした役割が、当時の思想状況の中で立体的に描き出されている。

三浦國雄『「朱子語類」抄』（講談社学術文庫、二〇〇八年）……本文中でもしばしば引用した朱熹の語録『朱子語類』の抄訳。朱子学という思想家の名前を冠する思想が、まさしく朱熹という一人の人間の生き様であったことを思い出させてくれる。

第9章　鎌倉時代の仏教

蓑輪顕量

1　全体図

一二世紀後半期頃から登場し始める祖師たちが起こした仏教が一躍時代の潮流になったわけではなく、鎌倉時代を通じて主流であったものは前代から続く仏教であった。平安時代から継続する仏教は、顕密《けんみつ》仏教とも既成仏教とも称されることがある。顕密は顕教、密教を学ぶ僧侶達の仏教を顕密と呼んだものだが、この理解は黒田俊雄氏によって提唱された権門体制論、そしてその一翼を担った寺社家の勢力を説明する顕密体制論に基づく（黒田俊雄『顕密仏教と寺社勢力』法蔵館、一九九五年）。実際、一三世紀後半頃の資料に「顕密、浄土、禅」と当時の仏教界の勢力が区分けされてもいる。黒田氏の見解によれば主流は顕密で、改革派と異端派の三つで構成される。

しかし改革、異端派など仏教界にはない概念で区分けされている点に問題があり、これとは異なった新たな理念系が登場した。それが「官僧と遁世僧」体制であった（松尾剛次『鎌倉新仏教の成立——入門儀礼と祖師神話』吉川弘文館、一九九八年）。この理念型は当時の仏教界の事情を反映した「遁世《とんせい》」に注目したもので、大方の賛意を表すことができるが、此処にも問題がある。それは官僧という用語は古代の仏教界の特徴を示す用語——官度と私度という受戒に基づく——として使用された経緯があり、中世の寺僧がその延長線上に存在するものとしても、少し違和感を抱かざるを得ない。

その後に登場したものが「交衆と遁世」である。これは中世の仏教を仏教界の中心部分と周縁部との関係として捉えるものである。当時の資料に登場する「交衆《きょうしゅ》」と「遁世《とんせ》」という歴史用語に注目しており、しかもこれらの用語は鎌倉時代の仏教界の特徴を示すものと考えられる（菊地大樹『鎌倉仏教への道——実践と修学・信心の系譜』講談社選書メチエ、二〇一一年）。

南都諸宗や天台、真言を奉じる顕密の僧侶たちが勢力的には多数を占め、その代表的な存在である学侶《がくりょ》たちが営々と営んだ仏事である法会《ほうえ》にまず注目したい。彼らの中から遁世という行為が登場した。それは出世に繋がる法会等へ出仕しないという性格を帯びた。いわば僧侶世界の名聞利用から離れたのである。その遁世の僧たちが集団を構成するようになった。彼らは遁世門と呼ばれ、彼らの中から教理、実践の点から見ても新しい仏教が生まれた。

そこでまずは社会的に主流であった勢力の営み、そこを母胎にして生み出された仏教が如何なるものであったのかを述べ、次に遁世によって形成された集団の営みに焦点を当てて述べる。

2 顕密仏教の営み

†寺院と僧侶

鎌倉時代になっても仏教界の主流は前代から継承される南都諸宗と天台、真言の寺院勢力であった。南都の寺院で重要な役割を担ったのは東大寺と興福寺である。東大寺は華厳宗と三論宗、興福寺は法相宗の拠点であった。天台では比叡山の延暦寺と三井《みい》の園城寺《おんじようじ》、真言宗では京都の東寺、高野山の金剛峯寺《こんごうぶじ》、そして法親王《ほっしんのう》が住した仁和寺が力をもった。本来、宗は教理を指す用語であったが、東大寺に宗所《しゅうしょ》が設置されたこと、平安朝初期に成立した天台と真言の両宗において、特定の寺院において専門的に修学されたことが原因となったと推定されるが、宗が寺院に固有のものとして理解されるようになり、それはやがて宗が集団をも意味する用語として使用される遠因となった。院政期から鎌倉時代にかけて、東大寺、興福寺、延暦寺、園城寺の四寺院が重要なものと考えられ、四箇大寺《しかたいじ》という呼称もできあがった。この四箇大寺の僧侶による法会が重要な意味をもって継承されていたのが鎌倉時代であった。

院政期以降の仏教界における特徴として僧侶世界にも出自による区分が導入されたこと、学侶と禅侶など、僧侶の役割による区分が出現していたことが挙げられる。天皇家、摂関家の出身の僧侶は貴種《きしゅ》と呼ばれ、他の貴族出身者は良家《りょうけ》、その他は凡人《ぼんじん》と呼ばれた。また僧侶は学問研鑽を専門的にする学侶と、それ以外のことにも従事する禅侶《ぜんりょ》に分かれた。学侶は諸宗にほぼ共通する言い方であるが、禅侶に相当する言葉は行人《ぎょうにん》、禅衆《ぜんしゅ》などいくつかが存在する。学侶を仏教界の頂点とする意識が存在し、学侶、その他の僧侶たちも含めて寺僧と呼ばれたのであるが、彼らは寺院の名帳《みょうちょう》に名前が記される存在であった。寺院の名帳から名前を削除されることは寺院から排除されることを意味した。

†法会の営みと仏教教理との関連

さて、前述の四つの大寺の僧侶、しかも頂点に立つと位置づけられた学侶が、天皇の招請(公請《くしょう》)や上皇の招請(御請《ごしょう》)によって開催された格式の高い法会に出仕した。このような格式の高い法会が院政期から鎌倉時代を通じて行われた。それらの法会に聴衆《ちょうじゅ》や講師《こうじ》として与ることとは名誉あることと考えられた。奈良の三会《さんえ》(興福寺維摩会《ゆいまえ》、薬師寺最勝会《さいしょうえ》、興福寺法華会)、北京の三会(円宗寺《えんしゅうじ》法華会、円宗寺最勝会、法勝寺《ほっしょうじ》大乗会)と呼ばれる法会も格式の高い法会であるが、それぞれ南都、北嶺の僧侶に独占されていた。これらの上位に京都の三講《さんごう》と呼ばれる講経論義法会が成立するのであるが、それらが宮中最勝講、仙洞《せんとう》最勝講、法勝寺の御八講《ごはっこう》であった。

そして、この三講の出仕が公請や御請によって成り立ち、選ばれた学侶のみで執行されていた。南都の僧侶は三十講などの寺内法会で研鑽を積んだ後に、南都三会の聴衆や講師を経て三講に出仕した。北嶺系の僧侶も同じく寺内法会を経た後に、北京三会の聴衆や講師を経て三講に出仕した。当時の重要な寺院における別当あるいは僧正に任命されるには寺内法会、南北二京の格式の高い法会、そして京に開催されたもっとも格式の高い三講を経る必要があったのである。

このような学侶の学んだものは、実は幅広い仏教教理学であった。法会には経典の講説と論《ろん》義《ぎ》が一具のものとして設けられていたが、講説のための資料として経釈《きょうしゃく》と呼ばれる文章が作成された。経釈には、それぞれの僧侶が属する本宗の教学が反映された。たとえば『法華経』に関する法華経釈を挙げてみれば、天台系の寺院に所属する僧侶が作成する経釈には天台系の註釈が利用され、天台教学が反映されていた。一方、法相宗を本宗とする僧侶が講説をする場合には、法相系の註釈が利用され、法相教学が反映されていた。

†論義と談義による研鑽

また教理の論争である論義に関する資料も数多くが残る。論義には興味深い原則があったことが知られている。たとえば三講の一つである法勝寺御八講には、東大寺の宗性《そうしょう》が書き残した『法勝寺御八講問答記《ほっしょうじごはっこうもんどうき》』なる資料が存在する。この資料は主に問いに焦点が当てられている。時折、答の部分に何も記されていないことがあるが、基本的に問答を記録したものであり、質問者の修学のために作成された資料と推定されている。

この論義は講師が天台宗の僧侶の場合には、問者はほぼ例外なく奈良の東大寺または興福寺の僧侶が当てられ、東大寺または興福寺の僧侶が講師である場合には、必ず延暦寺または三井寺の僧侶が問者として当てられた。

そして質問は二問、出されたが、そこにも原則が存在した。第一問はその直前に講説された経典の文言を引用し、その文言を契機に講師の教学に関連する内容が問われた。第二問目は経典の文言は出されず、直接、講師の所属する宗の教学が問われた。文中に「之に付いて」とか「進めて云く」、「両様」など特有の用語が登場する。「両様」は肯定的に答えても否定的に答えても、どちらも他の経論との矛盾を引き起こすような場合を指す。このような論義を、その特徴に合わせて命名するとすれば、興福寺の維摩会で行われた論義の記録に、経典の文章に基づいた論義の資料を「文短尺《もんたんじゃく》」、宗の教学に基づいた論義の資料を「義短尺《ぎたんじゃく》」と呼ぶ例が存在するので、それに擬えて文論義と義論義と命名することができる。結局、格式の高い法会においての論義は文論義と義論義の二つから構成されていたと言うことができる。

論義には教学に関する論義と仏教論理学と言われる因明《いんみょう》に関わる論義があったが、因明は鎌倉時代には格式の高い法会では行われなかった。しかし法相宗系の寺院では重要なものとして復活した。因明では四種相違因《ししゅそういいん》――主張命題と異なる主張命題を成立させてしまう、四つの理由における過失。法自相相違因《ほうじそういん》、法差別相違因《ほうさべついん》、有法自相相違因《うほうじそういん》、有法差別相違因《うほうさべついん》をいう――や因の三十三過《さんじゅうさんか》などが論点として修学される傾向があった（師茂樹『論理と歴史――東アジア仏教論理学の形成と展開』ナカニシヤ出版、二〇一五年）。

†研鑽の具体相

これらの論義において質疑応答が可能になるためには、東大寺や興福寺の僧侶であっても天台学の知識が必須であり、天台の僧侶もまた法相宗や華厳宗、三論宗の知識が必須であった。学侶系の僧侶は幅広く伝統的な宗を学ぶ必要に迫られていたのであり、そのためのシステムが、寺内法会から地域の格式の高い法会へと繫がる修学であったと位置づけられる。両京の僧侶が出仕する最も格式の高い法会が、院政期から南北朝期まで存続した前述の三講であり、四箇大寺の学侶はその出仕に意義を見いだしていた。またこれらの法会の開催趣旨は天皇の玉体安穏、五穀豊穣、万民豊楽などであり、この点を重視すれば、国という共同体の安定が念願されたということができる。

また実際に議論された論義の例を挙げる。たとえば法勝寺御八講の初日朝座には『無量義経』が講説されたが、文論義としては経典中の「般若華厳海空」の言葉がよく引き合いに出された。華厳、般若との用語が出るが、この語の存在を含めて本経が天台の五時八教のどこに相当するのかが問われた。義論義としては様々な問題が問われた。

修学は論義《ろんぎ》――一対一で議論をすること――や談義《だんぎ》――複数名で議論をすること――の形式で研鑽が積まれたが、遁世の僧侶によって体系的な修学がなされたことも否定できない。興福寺では法相宗の僧侶である解脱貞慶《げだつじょうけい》（一一五五〜一二一三）によって『唯識論尋思鈔《ゆいしきろんじんししょう》』が作られ、やがて『成《じょう》唯識論本文抄』『唯識論同学鈔』などが製作された。これらは経典の記述の整合性や教理の理解をより深めるものであった。

また一三世紀の中葉には『真理鈔』なる興味深い著述も存在する。この書では私たちの認識の世界を議論しており、世界は私たちの感覚器官が捉えたものが心の中に影像として描かれ、それを認識しているのだという理解が見える。そして私たちの心が作り出す働きには「分別《ふんべつ》、名言《みょうごん》、尋思《じんし》」という三つの働きがあり、これらが戯論《けろん》であると位置づけられた。これは中国の慈恩大師の著作である『大般若波羅蜜多経般若理趣分述讃《はんにゃりしゅぶんじゅつさん》』に基づく見解であるが、言語によって捉えられる前に対象を区別だてして捉える働きが、私たちの心に存在することを議論している。そして、心に言語的な把握も区別立てをする働きも生じないような捉え方があることを無分別の状態であると述べる。しかもこの無分別の状態でも対象が漠然と捉えられていることから、微細な認識の働きは生じていて、そのように認識される世界が真如、実相の世界なのだとの議論がなされている。これらは現象学が論じる世界と相通じるところである。

なお、真言宗でも、法身説法に関して、頼瑜《らいゆ》（一二二六～一三〇四）によって加持身《かじしん》説法説が立てられたが、これも論義の中から生まれたものと考えられる。

3　新たに登場する諸宗

†浄土宗

一一世紀半ば頃から盛んになった歴史観が末法《まっぽう》（仏教に起源する）や末代《まつだい》（儒教に起源する）の思想である。そのような風潮の中で隆盛したものが浄土信仰である。その最初は法然《ほうねん》（一一三三～一二一二）によって築かれた。浄土教そのものは早く奈良朝期にも確認され、京の空也《くうや》や比叡山の源信《げんしん》、良忍《りょうにん》そして高野山の覚鑁《かくばん》、東大寺の永観《ようかん》などによっても弘められたが、それは観想や称名《しょうみょう》の念仏であり、修行の一つとして位置づけられていた。それとは異なった新たな宗として浄土教を確立させたのは法然である。この位置づけは鎌倉時代の後半期に活躍した凝然《ぎょうねん》

（一二四〇〜一二一二）によって明確に述べられ、『浄土法門源流章』の中で、浄土教を一宗として独立させた人物は法然であると主張する。

法然は釈尊の説いた教えには聖道門《しょうどうもん》と浄土門《じょうどもん》があり、末法の時期に相応しい教えは浄土門であり、また行にも正行《しょうぎょう》（純粋な行）と雑行《ぞうぎょう》（雑多な行）があり、末法に相応しい正行は南無阿弥陀仏と唱える称名のみであると位置づけた。その背景には、中国の浄土教の師の中でも称名を重んじた善導の『観無量寿経疏《かんむりょうじゅきょうそ》』の影響が認められる。法然の念仏においても阿弥陀の四十八願（本願）を信じる信は重視されているが、大事な点は称名こそが正行として実践されたことである。法然の主著は九条兼実《くじょうかねざね》の求めに応じて述作された『選択《せんちゃく》本願念仏集』であるが、本書には念仏を唯一の正行とするための証拠の文章が集められている。

法然の主張が端的に記されているのは晩年に記された『一枚起請文』であり、そこには「もろもろの智者達の沙汰し申さるる観念の念にもあらず。また学文をして念の心を悟りて申す念仏にもあらず。ただ往生極楽のために南無阿弥陀仏と申して、うたがいなく往生するぞと思ひとりて申すほかには別の子細候はず」と記されている。法然はただ「南無阿弥陀仏」と念仏を唱えることによって万人が往生することができるのだと主張し、専修念仏《せんじゅねんぶつ》の教えを確立した。阿弥陀の本願を他力と称し、その他力を根拠に往生を万人に開かれたものとし、称名という誰にでもできる行為（易行《いぎょう》）に重要性を持たせ、凡夫も往生が可能になったと言えよう。法然が凡夫という、個人を意識したことは間違いない。

法然の弟子には僧侶を始め在俗の者たちが数多く存在した。僧侶としては弁長、源智、信空、隆寛、証空、湛空《たんくう》、長西《ちょうさい》、幸西、道弁、親鸞《しんらん》などが居る。また在俗の者では当時の政治的実力者であった九条兼実や熊谷直実《くまがいなおざね》、関東武士の宇都宮頼綱《うつのみやよりつな》などがいたが、後代に大きな影響を残したものは親鸞（一一七三〜一二六三）であった。

†浄土真宗

親鸞の教えには法然の教えを継承しつつも新たな展開が存在した。それが自己の悪人であることを徹底的に見つめた上で阿弥陀の本願を頼みとして信心を重視する姿勢であった。親鸞は四八の本願の中でも第一八願を重視し、全ての衆生は本願が成就しているのですでに阿弥陀仏に救われているという立場に立った。法然の立場が念仏という唱える行為を正行として重点を置いたことに因み「念仏為本《ねんぶついほん》」と表現されるのに対し、親鸞の立場は「信心為本《しんじんいほん》」と言われる。

親鸞は阿弥陀の本願を信じることが最も重要であると捉え、その信心でさえも阿弥陀仏から頂戴したものと捉えた。ここに阿弥陀の本願力（他力）を重視し、人間の側からの「はからい（すなわち自力）」を否定する信仰が確立した。そして南無阿弥陀仏と唱える称名は感謝のためという位置づけが成立した。親鸞の信仰は、阿弥陀の本願に全てを任せる、すなわち凡夫の自覚から始まり、人間の委嘱感情を正面に据えた信仰であったとも言える。この点にはキリスト教信仰との類似を見ることが可能である。

†時宗

つぎに新たな観点から浄土教を弘めたのが一遍（一二三九〜一二八九）である。一遍は称名を昼夜六時に唱えるという立場に立ち、踊り念仏をもって称名を弘めた。彼は資料を残さなかったため、その主張がどのようなものであったのか詳細を知ることはできないが、和歌を介して、次のようなものが伝わる。最初、「唱ふれば我も仏も無かりけり南無阿弥陀仏の声ばかりして」と詠んだが、まだ徹底していないと批判され、「唱ふれば我も仏も無かりけり南無阿弥陀仏南無阿弥陀仏」と読み直したという。この歌から察せられるところは称名による弥陀との合一感が目指されたことであろう。一遍は遊行念仏《ゆぎょうねんぶつ》と賦算《ふさん》（「南無阿弥陀仏　決定往生／六十万人」と書かれたお札を、信不信を選ばず人々に配布した）、そして名帳に名前を記してもらう活動に生涯を捧げた。

彼の教えは、遊行を続ける遊行聖《ゆぎょうひじり》と藤沢の清浄光寺に留まった藤沢上人《ふじさわしょうにん》の二人体制で継承された。この頃から清浄光寺に伝わる別時念仏は時間を決めて称名念仏を繰り返す行事であり、最終日に行われる「一ツ火《ひとつび》」と呼ばれる仏事には、穢土である此岸（娑婆《しゃば》世界）の教主釈尊と、浄土である彼岸（極楽《ごくらく》浄土）の教主阿弥陀仏とが協力して、衆生の救済を実践するという思考が見て取れる。またその念仏は「阿弥引き陀張り念仏」と呼ばれ、音楽的な要素が感じられる。このように時宗の念仏には芸術的な要素が認められるが、室町期以降、京の四条に道場ができ（四条道場）、芸能に関わる人々にも影響を与えた。能楽や茶道の大成に時宗が大きく関与したことが知られる。音楽的な称名を唱和し恍惚とした弥陀との一体の境地を目指した派ということができる。

†禅宗

次いで注目されるのは達磨《だるま》を祖と仰ぐ禅宗の成立である。その最初は大日能忍《だいにちのうにん》（生没年未詳）にあるが、彼は師承なくして悟ったと称した。彼はその不備を補うべく、文治五（一一八九）年、弟子の練中《れんちゅう》と勝弁《しょうべん》の二人を浙江省の阿育王寺に派遣し、拙庵徳光《せったんとっこう》にその悟境を証明してもらうべく働きかけた。徳光は達磨像と自讃頂相《ちんぞう》を与えて印可の代わりとしたという。

次に活躍するのが中国に渡り嗣法した栄西《ようさい》（一一四一〜一二一五）である。彼によって中国の南宗禅が初めて本格的に紹介された。しかしながら当初はその勢力を大きくするにつれ既成の仏教界から反感を買うことになり、建久五（一一九四）年、延暦寺、興福寺の訴えにより朝廷から停止の宣旨が出された。この時、栄西は『興禅護国論』を執筆し禅を興隆させることが護国に繋がるという主張を行った。栄西はもと叡山で学んだ僧侶であり、日本に最初に創建された禅寺である建仁寺において、天台と密教と禅とが渾然一体となった仏法を説いたという。栄西の密教に関連する著作も近年、名古屋の真福寺から発見され、彼の教えが密教、天台と禅の三者が融合したものであることが再確認されるに至った。これは中国の禅がそのままの形で導入されたのではなく、日本の顕密の土台の上に導入されたことを意味する。

禅宗は、栄西の頃にはまだそれほどの勢力にはなっていないが、円爾《えんに》（一二〇二〜一二八〇）や蘭渓道隆《らんけいどうりゅう》（一二一三〜一二七八）が登場するに伴い、一三世紀の半ばを過ぎる頃には比較的大きな勢力となったと考えられる。円爾は三井の園城寺に得度し東大寺に受戒した僧侶であり、嘉禎元（一二三五）年、宋にわたり無準師範《ぶじゅんしはん》の法を継承した。帰国後、九条道家の庇護を受け、京都に東福寺が創建されると初代住持となった。彼は没後の応長元（一三一一）年、花園天皇から「聖一《しょういっ》」の国師号を賜っている。

彼の語録である『聖一国師語録』によれば、釈迦の一代の教説を理致《りち》、機関《きかん》、向上《こうじょう》の三種類に分類したという。同様の記事は『元亨釈書《げんこうしゃくしょ》』円爾伝にも登場し、夢窓疎石《むそうそせき》の著述である『夢中問答《むちゅうもんどう》』にもこの表現が見られる。理致は仏法の教えを縁起や空などの用語を用いて表したもの、機関は「狗に仏性があるか。無い」といった正答のない文章である公案を指し心の中に抱き続けるもの、向上は「水はこれ水、山はこれ山」などのように分別を加えない境地を指し示す公案であったという。そのどれもが悟りに至る方法として意義があるものとして認められていたが、中でも向上の公案が興味深い。これは私たちの世界が分別によって成り立っていることを象徴的に示したものと考えられ、悟りの境地はそのような分別（言語的なもの）がなく、ありのままに世界を捉えることの重要性を説いたものと位置づけられる。

蘭渓道隆は中国の南宋から渡来した僧侶であり、初めて大陸風の禅が日本に定着することになった。後に無住一円《むじゅういちえん》が『雑談集《ぞうだんしゅう》』の中で、蘭渓の創始した建長寺では大陸風の習慣が導入されたことを伝える。また、円爾の門下からは虎関師錬《こかんしれん》（一二七八〜一三四六）が登場し、多くの著作を残し、日本で初めての本格的な僧伝資料である『元亨釈書』を著述した。また、宗峰妙超《しゅうほうみょうちょう》、高峰顕日《こうほうけんにち》、夢窓疎石《むそうそせき》らが登場し、禅宗は大きく展開した。とくに夢窓疎石は弟子一万人を擁したと言われた。渡来系の僧侶として無学祖元《むがくそげん》、兀庵普寧《ごったんふねい》、一山一寧《いっさんいちねい》なども来日し禅を広めた。

禅宗は当時、五山《ござん》と林下《りんか》に分かれたが、幕府の庇護下にあった五山が栄えた。これは京都と鎌倉に置かれた代表的な寺院であり、京都ではその上に南禅寺が位置づけられたが、幕府が衰退する室町の末期には衰えた。一方、民衆の中に根付いた林下の寺院は、次第に勢力を伸張させ、なかでも京都花園の妙心寺及び紫野の大徳寺は二大拠点となった。

またこれらの禅宗寺院には漢詩文を作る文化が栄えた。一三世紀から禅林の中に栄えた文化を五山文化と呼び、漢詩文を中心としたものを五山文学と呼称するが、この文学は言葉では表現し得ない悟りの境地を、詩的シンボリズムを用いれば表すことができるという前提に基づいていた。この五山文学も一六世紀の後半期には純文学的になり、近世の儒者の漢詩文に継承されたという。静かに禅定に入り心を見つめるという修行方法は、当時の武士たちの教養として広く受け入れられた。また、元寇や南北朝の動乱で落命した人々の菩提を、敵味方の分け隔てなく供養するための寺院も作られた。ここには怨親平等《おんしんびょうどう》の思想が見て取れる。

鎌倉時代の禅宗では道元《どうげん》（一二〇〇〜一二五三）も重要である。かれは大陸より曹洞宗を伝えたが、その師は天童如浄《てんどうにょじょう》であった。如浄の「心塵脱落《しんじんだつらく》」の言葉を聞き自らも悟り、その悟りの境地を「身心脱落《しんじんだつらく》」と表現した。師の「心塵」は心と塵とであり、道元の「身心」も身と心とであって、どちらも感覚機能によって描き出された世界（捉えられる対象）と、それを捉える心の働きを指すと考えられる。人間の認識の構造に気がつき、それにこだわらないことに目覚めたと位置づけられる。

道元の主著は『正法眼蔵《しょうぼうげんぞう》』であるが、その中の現成公案《げんじょうこうあん》には自己を忘れることが大事であり、それは「万法に証せらるる」ことであり、また「万法すすみて自己を修証するは悟りなり」と記されるが、この境地には人間の感覚機能で捉えられる世界を、自らの作意を働かせることなく、ただ気づき続けている「観」の世界が彷彿される。また道元の主張では「修証一等」なる用語も大事なものであり、そこには院政期頃から正面に出てくる、何事も肯定してしまう天台本覚思想に対する超克の意識が見て取れる。修証一等は修行がそのまま証、すなわち悟りであるとするもので、修行を続けている時に同時に悟りが実現していると捉える考えである。これは同時代の中に位置づけた時に、本来的に悟っているとする本覚思想が、修行不要論に陥る危険性を持っているので、その弊害を乗り越えようとしたものであったと考えられる。

†中世律宗

中世の南都においても主流は平安期から続く顕密の僧侶が占めた。大きな出来事として治承の兵乱によって東大寺、興福寺が灰燼に帰したが、その復興が行われたことが挙げられる。この復興とともに禅宗の到来に刺激を受けて、法相宗や律宗の中に新しい運動が起きた。俊乗《しゅんじょう》房重源《ぼうちょうげん》が東大寺復興のための大勧進職を務め、その中心的な人物となり、第二代目には栄西が就任、以降、禅律に関連する僧侶がその職を務めた。円照《えんしょう》は東大寺戒壇院を復興し、また油倉聖であった西迎房蓮実《さいげいぼうれんじつ》も復興に尽力したことが知られる。

教理的にも新しい展開が見られるが、それも遁世の僧侶によってなされた。まず法相宗を本宗とする僧であった貞慶により戒律と禅定の復興の気運が高まった。彼は『心要鈔』なる著作を残しており、修行にも言及し、弥勒教授の頌《しょう》なる偈文《げもん》(『阿毘達磨雑集論』の一節)を、念仏のように唱える行を伝えている。また戒律の復興の上では『戒律興行願書』を書き、南都の堂衆たちの出世の最高位は東大寺戒壇院における戒和尚であったという。貞慶の進言により興福寺内に戒律を学ぶ場として常喜院が創建され、そこに学んだ覚盛《かくじょう》（一一九四～一二四九）が、後に重要な役割を果たした。

法相宗では興福寺の良遍（一一九四～一二五二）が円爾の『宗鏡録』の講説を聞き、法相と禅の異同を考察する『真心要決』を書き、無分別の境地という点では共通点を見いだしている。また遍計所執性《へんげしょしゅうしょう》、依他起性《えたき》、円成実性《えんじょうじつ》の三性説とともに相無性、生無性、勝義無性の三無性説を重視し、そこには禅の影響が見られる。

律宗では正治元（一一九九）年入宋し建暦元（一二一一）年に帰国した俊芿《しゅんじょう》（一一六六～一二二七）がまず注目される。彼は京都の泉涌寺《せんにゅうじ》を拠点に律、密、禅、浄土の四宗を広めた。彼は律と禅の復興の上でも重要な人物であり、後に南都の僧侶たちも泉涌寺の僧侶に学ぶことになる。なお俊芿は公にしなかったとされるが自誓受戒《じせいじゅかい》を行ったと言われる。後に南都の覚盛や叡尊《えいぞん》、円《えん》晴《せい》、有厳《うごん》の四名も、嘉禎二（一二三六）年九月、東大寺の法華堂において自誓受戒を行ったが、これは『占察経《せんざつきょう》』の記述を根拠に正統な戒師が居ない場合の便法としての受法であった。この時『大乗方等陀羅尼経《だいじょうほうどうだらにきょう》』の記述を参照し、夢の中に好相が現れることを根拠としたことが叡尊（一二〇一～一二九〇）の残した『自誓受戒記』から知られる。

その後、覚盛は『菩薩戒通別二受鈔』及び『菩薩戒通受遣疑鈔《けんぎしょう》』を述作し、三聚浄戒《さんじゅじょうかい》を受ける受戒で菩薩の具足戒が授かるという新しい解釈を提出し、その受戒法に「通受《つうじゅ》」との命名を行った。伝統的な白四羯磨形式の受戒法は「別受《べつじゅ》」と命名され、両者が併存する形態が成立した。当時、泉涌寺の受法は「自誓」、南都のものは「通受」と呼ばれた。

通受は最初、新義であるとして多くの反対が表明された。東大寺の法華堂や中門堂、そして興福寺の東西両金堂衆によって執行される鑑真以来の伝統的な受戒が、毎年ではなかったにしろ執行され続けていたことが、その背景に存在する。しかし、通受は法相宗の良遍や三論宗の廻心の賛意もあって、南都において次第に受容されるに至った。西大寺を拠点に活躍した叡尊は、この通受を別受と並ぶ一般的な具足戒受戒方軌の一つとして理解し、通受と別受の二つの受法による受戒を多くの僧俗に対して行った。叡尊の自伝である『感身学正記《かんじんがくしょうき》』によれば、その生涯に多くの人々に菩薩戒を授けたことが確認できるが、その多くは通受形式であったと推定される。なお、通受形式の受戒方軌のみが明治以降にも続き、現在でも東大寺戒壇院では通受による具足戒受戒が、十数年に一度の割合で行われている。

一方、東大寺の東南院や尊勝院、興福寺の大乗院や一乗院等の院家においては、平安時代から続く法会と論義の実習の中で仏教の教理的な研鑽が進められていた。彼らは交衆として活躍し、論義という手法を採り学解の仏教を推し進めた。そのような僧侶の典型として尊勝院の弁暁《べんぎょう》（一一三九〜一二〇二）や宗性（一二〇二〜一二七八）は有名である。特に宗性は華厳宗を本宗として多くの資料を残し、当時の最も格式の高かった三講の論義の記録となる『法勝寺御八講問答記』や『最勝講問答記』を今に伝えている。

また遁世の僧侶であった戒壇院の凝然も多くのまとまった著作を残した重要な人物である。『八宗に詳しく二九歳で著した『八宗綱要』は今でも入門書として用いられる著作である。彼は仏教の歴史にも詳しく『三国仏法伝通縁起』を、その他の綱要書として『律宗綱要』『華厳法界義鏡』『華厳五教章通路記』などを残している。

†法華宗

安房国（現在の千葉県）で生まれ比叡山に登り三二歳で下山、その後に関東を中心に活動した僧侶が日蓮《にちれん》（一二二二〜一二八二）である。現在では日蓮宗と呼称されるが明治までは法華宗と呼ばれた。日蓮の主張は釈尊の教えの中で何が真実であるのかという疑問から始まり、『法華経』が唯一真実の経典であるとする理解から起きた。その背景には当時、すでに広まっていた法然の浄土教と大日の禅宗および密教化した天台に対する批判が存在する。日蓮は二〇年間の修学において天台の五時八教の教判に触れ、ことに『無量義経』の「四十余年未顕真実」の記述を根拠に、『妙法蓮華経（法華経）』こそが釈尊の真実の教えであるとの確信を得るに至った。度重なる飢饉や疾病は為政者の誤った信仰に基づくと考え、『立正安国論』を述作し、当時の為政者の中心人物であった北条時頼に提出した。そして『妙法蓮華経』に説かれた教えを具体的に実践する手段として「南無妙法蓮華経」という題目の七字を唱えることを提唱した。いわゆる唱題であり、人々に唱題を勧める生涯を過ごした。日蓮は幾たびも法難に遭遇し、その中で『法華経』に説かれる上行菩薩の自覚を持つに至る。

晩年、流罪に処せられ佐渡島に流されるが、佐渡において述作した『開目抄』や『如来滅後《にょらいめつご》五《ご》五百歳始《ごひゃくさいし》観心本尊抄《かんじんほんぞんしょう》』において思想的に熟したと言われる。そこにおいて天台教理の核心である一念三千《いちねんさんぜん》は妙法そのものであり、それは釈尊から与えられた種子《しゅうじ》であるという独特の理解を展開した。その妙法そのものである法華経の題目を唱えることによって釈尊の因行果徳のすべてが唱える人に「譲りお与えになられた」という理論を提唱し、唱題という具体的な行為（事）を通して釈迦の救済に与ることができるという側面が確立された（茂田井教亨「『観心本尊抄』における『摩訶止観』」、関口真大編『止観の研究』岩波書店、一九七五年、所収）。

唱題には止観の側面と救済の側面の双方が込められたと言える。唱題という易行と『法華経』という妙法に対する信を強調したという点では浄土宗との近似性を、独自の曼荼羅を創始したという点では真言宗との近似性を感じさせられる。

日蓮の教えは六人の高弟（日昭、日朗、日興、日向、日頂、日持）によって継承され、なかでも日朗の弟子になる日像によって京都に布教が開始された。一四世紀の初頭、貴族出身の真言宗僧であった大覚《だいかく》(一二九七~一三六四)が法華宗僧侶になるに及んで、京都と岡山に大きな拠点を得ることになった。やがて室町に至ると京都の町衆の信仰を一手に担うほど隆盛を極めるが、その背景には「法華経を宮仕えと思し召せ」という日蓮の言葉が独自に解釈され、職業に励行するための理論となったことが考えられる。

†神仏関係

鎌倉時代には神仏関係でも新しい関係が登場した。古代においては主に仏教側が神祇との関係を模索し、神身離脱や仏教擁護、神仏隔離の言説を創造したが、鎌倉期以降は、神祇に関わる人たちが神仏の関係で新しい見解を提出した。神は本来、心の外に存在するものであったが、それが心の中に入り込んだという。仏教が占有していた救済と自己変革の役割を神祇信仰も担うようになったことが明らかになった。神観念の変化も重要なものである(伊藤聡『神道の形成と中世神話』吉川弘文館、二〇一六年)。

4 まとめ

前代から継承した仏教界における営みは法会や経典の講説、論義などが特徴として挙げられるが、なかでも論義や談義という教理論争が注目される。これは様々な経論の中に登場する矛盾する記述を如何に整合的に理解するのかに焦点が当てられた。ここにはキリスト教の神学論争に近いものが見て取れる。しかしこの形式の修学の中で研鑽が進み、中には私たちの認識のあり方を議論した法相宗の僧侶たちの営みが注目される。

一方、救済という観点から独自の見解を述べた浄土系、および法華系の主張も生まれた。阿弥陀の本願に対する信に基づき、称名念仏の行為から救済を可能にした法然や信を強調した親鸞の信仰も、一念三千をキーワードに釈尊の妙法がすべて備わるという信仰と唱題をセットにした日蓮の主張も、そして禅宗の実践したものも、いずれも今をそのまま受け止め、戯論の働きを起こさないように心を変えさせていく力がある。戯論の働きが起きないように変わっていくという視点から見れば、中世の仏教にも共通の土台が存在したと位置づけられる。

さらに詳しく知るための参考文献

智山勧学会編『論義の研究』（青史出版、二〇〇〇年）……日本仏教で盛んに行われた論義について各宗派別に概説したもの。

永村眞『中世寺院史料論』（吉川弘文館、二〇〇〇年）……中世の時代に残された資料、なかでも聖教と呼ばれるものについて詳細に論じたもの。興福寺や東大寺に行われた法会に関する資料に詳しい。

蓑輪顕量『日本仏教史』（春秋社、二〇一五年）……日本の仏教について学問的な研鑽と修行実践の二つの視点から相対的に論じたもので中世の全体像をつかみやすい。

末木文美士『日本思想史』(岩波新書、二〇二〇年)……日本仏教を仏教に限らず思想史という観点から見たもので、思想の歴史という視点から見ていて有用である。

第10章 中世ユダヤ哲学

志田雅宏

1 異邦の思想

前史

ユダヤ教にとって、哲学とは純然たる他者であった。ユリウス・グットマン（一八八〇〜一九五〇）は、ユダヤ哲学を「異邦の思想の漸次的吸収の歴史」（合田正人訳『ユダヤ哲学』みすず書房、三頁）と表現する。そして、哲学を他者として位置づけることは、きわめて意識的に行われてきた。中世以前のユダヤ教の指導者（ラビ）たちは、哲学を「ギリシアの知恵」と呼び、世界創造を否定するものという理由で遠ざけてきたのである。

ユダヤ教はかつて一度、この「ギリシアの知恵」と出会っている。前三世紀から一世紀にかけて、ヘブライ語聖書のギリシア語訳（七十人訳）やアレクサンドリアのフィロン（前二五〜五〇頃）の哲学において、ヘレニズム文化が受容されたのである。しかしその後、二世紀から六世紀に、ミシュナとタルムードを基盤とするラビ・ユダヤ教の形成期を迎えると、ヘレニズム時代の思想文化は完全に姿を消した。ユダヤ教ではトーラー（神の教え。聖書やタルムード）を学ぶことが中心となり、その学習伝統のなかで哲学は常に他者として意識された。たとえばタルムードのある話では、トーラーを学び終えた弟子が「ギリシアの知恵」を学んで良いかと師に訊ねる。すると、師は弟子の傲慢さを見抜き、「日中でも夜でもない時間を見つけるがよい。そうすれば、おまえはギリシアの知恵を学ぶことができる」と答えるのである（バビロニア・タルムード、メナホート篇九九b）。

確かにタルムードには、ギリシア哲学とは異なる、きわめて独自の「哲学」があるとも言われる。たとえば、野で人が殺されたとき、遺体から周囲の町までの距離を測り、一番近い町で贖罪の儀礼をするという聖書の規定がある（申命記二一・一〜九）。これについて、ラビたちは遺体の「へそ」から、いや「鼻」から測るべきだと議論をかわすが、彼らの考察は、神が人間にどんな仕方で命を与えたのか――命の始まりは胎児が形成された瞬間なのか、それとも顔がつくられ、神が鼻に命の息を吹き込んだ瞬間なのか――という主題へと広がっていく（パレスチナ・タルムード、ソーター篇九・三）。タルムードには、具体的なハラハー（ユダヤ法）の議論から、人間や命、世界についての考察を紡ぎ出すという思考様式が垣間見られる。ただ、それがヘレニズム文化の遺産を訪ねる仕方で行われることは決してなかった。

しかし、九世紀に大きな変化が生じた。ユダヤ教世界が古代ギリシアを源流とする哲学を積極的に受容し始めたのである。そこには、イスラームとキリスト教という広大な一神教世界のなかで、宗教的マイノリティとして生きるというユダヤ人たちの現実が深く関係していた。ユダヤ教の生活を形成するトーラーの新たな意味を照らし出す光が、哲学という知恵に宿っている。そう信じ、他者の文化とあらためて向き合ったとき、中世ユダヤ哲学が産声を上げたのである。

それから三〇〇〇年後、中世ユダヤ教最大の哲学者マイモニデス（モシェ・ベン・マイモン、一一三八～一二〇四）は、ユダヤ民族と神との関係を王宮にたとえ、伝統的なトーラーをただ信仰し、実践することは宮殿の外を歩き回るにすぎないと批判した（『迷える者の導き』三・五一）。宮内に入り、神のもとへ近づくためには、信仰と実践の「意味」を探究しなければならない。なぜ神を信じるのか、なぜ神の命令である宗教的戒律を守るのか。ユダヤ教を生きることの意味を求めるマイモニデスにとって、一神教世界に復興したギリシア哲学は信頼できる道標となっていたのである。

†イスラーム世界におけるユダヤ哲学の幕開け――サアディア

初期の中世ユダヤ哲学はアラビア語ないしユダヤ・アラビア語で行われた。その嚆矢となるのがサアディア・ガオン（八八二〜九四二）である。「ガオン」とは当時バビロニアにあったユダヤ教の学塾の長が持つ称号であり、サアディアはハラハーの最高決定機関を指導する法学者として、聖書のアラビア語訳および註解を著した注釈家として、またタルムードの権威を認めないユダヤ教カライ派との論争者として、多方面に大きな影響を及ぼした。

そのサアディアには、「語る者たちの長」というもう一つの称号がある。これは、サアディアが法学、聖書解釈、哲学、祈禱などあらゆる分野の「言葉」の開拓者であることを称えると同時に、主著『信仰と意見の書』の特徴を表したものでもある。なぜなら、この著作では、イスラームの弁証法的神学であるカラーム（「語り、言葉」）が全面的に取り入れられたからである。その方法とは、ある主題についてのすべての議論を取り上げ、徹底的に分析して、正しい帰結を導き出すというものであった。

一例として霊魂論を紹介しよう（『信仰と意見の書』第六章）。サアディアはまず、魂が神から流出してきたという流出論や、魂は知性と命をそれぞれつかさどる二つの部分から成るといった、全一一個の仮説を批判的に検討し、最後の仮説が正しいと主張する。それは魂の形成が身体の形成とともに起こるというものであり、「天を拡げ、地の基を置き、人の霊をその内に造られる主」（ゼカリヤ書一二・一）という聖句がそれを示している。つまり、「その内に」を「（身体における）心の内に」と解釈しているのである。そして今度は、この真説が理性と聖書という二つの証拠によって根拠づけられる。このように、『信仰と意見の書』では、聖書解釈と弁証法によって議論が組み立てられている。

サアディアは理性を啓示とともに揺るぎない基盤とみなす。聖書の創造物語において神はあらゆる被造物を「見て、良しとされた」。この神の善性は啓示においても同様であり、神は人間を救済へと導くべく理性を与えた。この贈り物としての理性という信念は、神の啓示である聖書の解釈方法を決定づけるものであった。サアディアは聖書を字義的に読み、それでは意味が取れない箇所については理性に従って寓意的に解釈すべしと宣言した。この宣言は、ユダヤ哲学が、理性に照らして聖書を読むことにもとづく思索であることを決定づけたのである。

†ユダヤ教新プラトン主義――イブン・ガビロール

さて、新プラトン主義的な流出論はサアディアによって拒絶されたが、バビロニアから遠く離れたスペインではむしろ積極的に取り入れられた。シュロモ・イブン・ガビロール（一〇二一〜一〇五八頃）が、アラビア語に翻訳された新プラトン主義の文献に影響を受け、『生命の泉』

（アラビア語原典は散逸、ラテン語訳版およびヘブライ語抄訳版が現存）を著したのである。サアディアとイブン・ガビロールは方法論的にも対照的であり、前者が体系的な弁証法を導入したのに対し、後者は詩によってその思想を表現した。

イブン・ガビロールの哲学は、プロティノスらの新プラトン主義思想をそのまま受容したものではなく、アリストテレス哲学のアラビア語文献やヘブライ語の小著『セフェル・イェツィラー』（神が二二のヘブライ文字と「セフィロート」という一〇個の要素からなる体系によって、世界を創造したとする創造論が記された）などを重層的に取り込んだものである。ゆえに、イブン・ガビロールの「新プラトン主義」には一神教世界ならではの変化がみられる。その最も顕著な変化が神のとらえ方であり、プロティノスの神（「一者」）は存在に先立つ者であるのに対し、イブン・ガビロールの神は存在そのもの（「第一本質」）である。そして、「意志は万物を創造し、動かす神の力である」（『生命の泉』一・二）とあるように、イブン・ガビロールは、一者から流出して万物が存在するという過程に、「意志」という新たな段階を設定することで、「流出」を「創造」としてとらえかえす。創造とは、存在そのものである神が自らの意志で流出を行うことを意味するのである。

この最初の段階の流出によって生じるのが「質料」と「形相」である。これはアリストテレスの存在論の基本的な概念だが、イブン・ガビロールは両者をそれぞれ普遍的質料と普遍的形相として解釈する。そして、この質料と形相から知性、霊魂、自然という精神的実体が順々に生じてくる。物質世界は神から直接流出するのではなく、この一連の過程を媒介として、その後で初めて生み出される。

さらに、イブン・ガビロールは創造論の視点から、質料と形相を独自の仕方で解釈する。彼は質料をしばしば「基盤」という語で表すが、これは質料が存在そのものである神から意志を介することなく流出し、万物の基盤となることを意味する。この基盤としての質料は、知性や天体から四元素による地上の物質まで、世界のあらゆる個物の存在に通底するものである。他方、形相は神からその意志を介して流出する。神はまさしく自らの意志で万物の形を与えたのである。天地のすべてのものは基盤としての質料を共有し、それらが固有の形をもって存在することは、神の意志による創造行為の証明となる。端的に言えば、イブン・ガビロールの創造論は、聖書的な世界創造の物語を、質料と形相および流出といった諸概念をもちいて、そこに意志を加えつつ解釈することであった。それはまさにユダヤ教新プラトン主義と呼べるものであった。

†哲学への批判——イェフダ・ハレヴィ

中世ユダヤ哲学はギリシア・アラビア思想に深く影響を受ける仕方で展開してきたが、同じアラビア語をもちいながら、こうした古代ギリシア思想と対峙する「哲学への批判」としての哲学を創出した思想家がイェフダ・ハレヴィ（一〇七五頃〜一一四一）である。あるときハレヴィは、三つの一神教からユダヤ教を選び、改宗したというカスピ海沿岸のハザール民族の王の噂を耳にする。そして、この改宗譚に宗教と哲学の論争という新たな要素を加えて、『クザリ』という対話篇へと昇華させた。『クザリ』では、真理を求めるハザール王に対し、キリスト教徒・イスラーム教徒・ギリシア哲学の教師の説得がすべて挫折に終わった後、ユダヤ教のラビだけが彼を満足させることに成功する。そのラビの口から語られるのは、ハレヴィ自身の濃密なユダヤ思想である。

ハレヴィは世界の「永遠性」と「創造」という主題を取り上げる。そして、神を「事物が運動するにせよ静止するにせよ、その始まりにして第一の原因として規定した」（『クザリ』一・七三）アリストテレスを批判する。ハレヴィは前述のユダヤ教新プラトン主義の影響を受けつつも、神の意志を一層前面に押し出す。神は意志をもって万物を創造しただけでなく、数々の奇跡やモーセに対するシナイ山での啓示によって、被造物である人間に対する強い関心を示した。意志に対するハレヴィのまなざしは、アリストテレスの描く哲学者の神と、アブラハムの神としてモーセに現れた神とを明確に区別したのである。

そして、『クザリ』の独創性を最もはっきり示すのが「神的なこと」という力である。「神的なこと」とは、創造された階層的な世界を幻視する特定の個人が所有する力である。この力を持つ者は、万物の存在から神について思索する哲学的思考では到達することのできない、神についての体験を得る。それが預言なのである。「我々は預言によって神的なことと密着する」(『クザリ』一・一〇九)とラビは王に答える。この「我々」とは地上のすべての民ではなく、ユダヤ民族のことである。ハレヴィは「神的なこと」がユダヤ民族に固有の力であると明言し、そこからモーセへの啓示、ユダヤ教の戒律、聖地(パレスチナ/イスラエルの地)の宗教的な固有性を強く主張していく。

このようにハレヴィは、アリストテレス的な神観念および世界観と、ユダヤ教の伝統的諸価値とを明確に対立させるが、『クザリ』の序文には「知性ある者たちは理解するであろう」という思わせぶりな一言が差し込まれている。これは、哲学を学んだ知的読者のみが理解することのできる秘義を本作品にちりばめたという、彼の解釈的仕掛けを示唆するものである。神は自らが啓示したトーラーが、人間によって作られた法律でないことを示すために、シナイ山で雷鳴をとどろかせ、モーセに石板を授けた。この一連の出来事は、神がイスラエルの民全体に話しかけてきたかのように思わせる。だが、啓示において預言者モーセが体験したのは「神的なこと」との一体化であり、それは民には理解しえないことであった。この体験はあらゆる物質性を超越した、純粋に霊的な神秘的合一をうかがわせるが、ハレヴィはそれを秘義にとどめ、あまり語らない。おそらくハレヴィは哲学の受容に大きな可能性を求めていた。そして、哲学と対立する仕方でユダヤ教の諸価値を論じる「顕義」とは別に、啓示を体験することを神との一体化として理解する「秘義」をほのめかすことで、その可能性を示唆したのであろう。

2 マイモニデス——中世ユダヤ哲学の頂点

†出発点としてのアリストテレス

パレスチナ北部ガリラヤ湖畔のティベリアに、「モーセからモーセまで、モーセのような者は現れなかった」という弔辞が刻まれた墓碑がある。これは、預言者モーセに比肩する不世出のユダヤ人指導者モーセ（モシェ）、すなわちモシェ・ベン・マイモンことマイモニデスの墓である。彼は膨大なタルムードの法伝承を精緻に体系化した『ミシュネー・トーラー』を著し、ユダヤ法学に革命を起こしたことでも知られるが、その哲学的功績はユダヤ教とギリシア哲学の統合を完成させたことである。マイモニデスにとっての「ギリシア」とは、ファーラービーやアヴィセンナ（イブン・シーナー）、アヴェロエス（イブン・ルシュド）らイスラーム哲学者たちが中世に蘇らせたアリストテレスの学知であった。本章の冒頭で見たように、マイモニデスはユダヤ教の信仰と実践の意味を探究した。その探究は哲学的思惟によって導かれなければならず、啓示を理解することで、人間の知性を完成させることが幸福であるとマイモニデスは信じた。彼にとってアリストテレスは、宗教と哲学の統合という壮大な試みの出発点だったのである。

全三部で構成される哲学書『迷える者の導き』は、その名のとおり教育的性格をそなえている。第一部では神についての聖書表現の解釈が行われ、「神の手」や「神の怒り」といった表現を字義的に解釈することは、擬人神観（神を人間と同じようにとらえること）という誤った神認識を招くとして批判される。また、出エジプト記三三章でモーセが神に対し、好意を知ることができるよう「あなたの道をお示しください」（一三節）、次いで「あなたの栄光をお示しください」（一八節）と尋ねたのに対し、神が一度目には「好意」を示すが（一七節）、二度目には「あなたは私の顔を見ることはできない」（二〇節）と答えたことを、マイモニデスは独創的に解釈する（『迷える者の導き』一・五四）。すなわち、一度目のやりとりは神の「属性」を、二度目のやりとりは神の「本質」――存在そのもの――をめぐるものであると解釈したのである。

さらに、マイモニデスは神の属性を二つに分類する。一つは、この世界における神の働きとしての属性である。神についての身体（手など）や感情（怒りなど）の表現は、神がこの世界に直接働きかけるときの厳格さや慈悲を意味するのであり、これらが属性に該当する。もう一つは、否定命題によってのみ表される属性である。これは、「沈黙してあなたに向かい、賛美をささげます」(詩篇六五・二)とあるように、いかなる肯定的叙述をもってしても神を表現しえないことである。「神はXである」ではなく、「神は『Xではない』ではない」という二重否定によってのみ、その属性を理解することができるのである。

そして、先の神の回答は人間知性の限界を教示する。つまり、知性は神の属性を把握するにとどまり、神の本質には決して到達しえないのである。ただし、マイモニデスの目的は、神の属性と本質についての理論を、聖書解釈にもとづいて展開することだけではない。むしろ、おのれの知性の限界を知ることで謙虚さを学ぶことを読者に求めているのである。

次に、第二部ではまず、神の存在証明が主題となる。マイモニデスによる神の存在証明は、アリストテレス(『自然学』第八巻、『形而上学』第一二巻等)とアヴィセンナの思想を統合したものである。この世界全体は運動の連鎖であり、すべての存在物は自らを動かす直接の原因を必要とする。そこで、下界の万物の生成消滅を運動の体系としてたどっていくと天体の恒常的な運動にいたるが、この天体もまた自らを動かす存在を必要とする。そして、天体を動かす原因だけは自らを動かす別の者を必要としない。それが神である。マイモニデスはイスラーム哲学のアリストテレス解釈に従い、この「第一原因」としての神観念を、神の唯一性と非身体性の根拠として理解する。不動の動者としての神は身体を持たず、時間というカテゴリーを超越した唯一の存在である。

他方、その神の存在論については、アヴィセンナの思想に深く影響を受けている。それは、神を存在（すなわち運動）の究極的原因としてだけでなく、必然的な存在そのものとしてとらえることである。神以外の万物の存在は、直接の動因によって偶有的に規定されたものであるのに対し、第一原因である神だけは必然的に存在する。この存在そのものとしての神が、先に述べた、人間の知性を超えた神の本質なのである。

†苦しみのなかで人はどう生きるか

ただ、こうしたアリストテレスの学知は出発点であり、『迷える者の導き』の後半では世界創造、預言、そして摂理というユダヤ教の主題が論じられていく。アリストテレスは世界の永遠性を主張するが、マイモニデスによればそれはトーラーに依拠していない。第一部では聖書の寓意的解釈によって神の非身体性が証明されたが、世界創造の記述については寓意的解釈を適用すべきではない。なぜなら、世界の永遠性はトーラーの基盤を破壊してしまうからである。世界の永遠性と創造をめぐる議論はやや曖昧であるが、マイモニデスがここでトーラーに依拠して創造論を選択することで、『迷える者の導き』はユダヤ教の哲学へと決定的に舵を切る。トーラーすなわち神の啓示とは、神が自分の意志で自由に行動する存在であることを示している。神の意志としての啓示という理解において、マイモニデスは、必然的存在者としての神が世界を自由に創造したことを、トーラーが教えていると宣言するのである。

　次に、マイモニデスは預言を論じる。預言とは「影響が神から能動知性を介して、初めに発話の力へ流れ及び、その後に想像の力に流れ及ぶ」ことである（『迷える者の導き』二・三六）。この「能動知性」は、アリストテレスの霊魂論に由来し、神と人間の知性をつなぐ媒介として、イスラーム哲学の中核をなす概念である。そして、マイモニデスは、預言を能動知性の働きかけによる知性と想像力の完成とみなす哲学的理解を認める。本章冒頭の王宮のたとえ話で、預言者は神に最も近いところにいる者たちとされる。それは、ユダヤ教の戒律を実践し、その意味を探究し、さらには数学や論理学から自然学や形而上学にいたる諸学問を究め、神についての思考にその知性のすべてを傾ける者である。これこそが人間の知性の完成であり、その段階において魂は肉体の死を超越して永遠の生を手にする。

　この知的完成者としての預言者像は、知識こそが人間の完成と幸福をもたらすというアリストテレス的な人間観をふまえて、預言とは、人間が自ら知性を高める能動的な行為である、という革新的な預言理解を反映している。そこでは哲学者と預言者がほぼ同一視されている。しかし、両者を隔てる境界として、マイモニデスは「選び」という要素を加える。預言者は知性と想像力の完成によって現れるのではなく、最終的には神の意志によって選ばれなければならない。ここでもマイモニデスは神の意志に決定的な役割を与えているのである。

しかし、神へ向かおうとする人間の知的探究は常に挫折の危険をはらむ。それは人が苦難に直面したときに深刻なものとなる。なぜなら、神の摂理を信じる者の身に予期せぬ災いが降りかかるとき、その者は神の意志に疑いを抱いてしまうからである。マイモニデスは義人ヨブの苦難を描いた聖書のヨブ記に、この摂理と知性の主題を見出す。ヨブは高徳で正直な者だが、賢い者ではなかったとマイモニデスは解釈する。神への疑いはその知識の欠如によるのであり、それがヨブの心を苦しめた。しかしヨブは、友人たちやエリフとの対話をへて真理に到達する。それは、神の摂理の意図を人間は知りえないという真理であった。

だが、ヨブ記は摂理と人間知性の断絶を教示する物語ではない。むしろ、この決定的な断絶の経験が、「神への愛を増し加えるであろう」(『迷える者の導き』三・二三)とマイモニデスは確信する。理由のわからない苦難に直面したとき、その神の意図を知りえないことが、神を愛することにつながるという主張は、驚くべき逆転である。それは、摂理が種のみにおよび、個にはおよばないとするアリストテレスの立場を乗り越えることを意味する。マイモニデスはヨブの物語を寓話として理解するが、それはヨブの経験した苦難が誰にでも――最愛の弟ダヴィドを海難で失ったマイモニデス自身にも――降りかかるからである。苦難に直面し、神の正義を疑うすべての者たちのために、ヨブ記という物語の意義がある。人間の知的完成は、死を超越した魂の永生という幸福のためだけではない。その完成とは知性の限界を知ることであり、苦難に直面してもなおそれを受け入れ、神を愛し生きていくことにつながると、ユダヤ教の聖なる物語が教えているのである。アリストテレスから出発したマイモニデスの哲学的探究は、苦しみのなかで人はどう生きるのかという問いに答えようとするものであったといえよう。

3 ユダヤ教文化のなかの哲学へ

†アラビア語からヘブライ語への翻訳とその後の論争

こうした中世ユダヤ哲学の著作はいずれもアラビア語で書かれたが、一三世紀から一四世紀初頭にかけて、これらの文献がヘブライ語に翻訳され、西方キリスト教世界のユダヤ人たちにも紹介された。この翻訳活動を担ったのが南フランスのティボン家であり、このユダヤ人一族は、イェフダ・ハレヴィやマイモニデス、さらにはアヴェロエスらの著作をヘブライ語に翻訳し、哲学を学ぶ意欲に満ちた若者たちに応えようとした。

しかし、西方キリスト教世界のユダヤ教文化は、イスラーム世界のそれとは大きく異なっていた。北フランスにはラシ（一〇四〇〜一一〇五）を中心とする精緻なタルムード学習の伝統があった。また、マイモニデスの法学を批判する南フランスの思想家たちのなかから、カバラー（ユダヤ教神秘主義）が出現し、やがてキリスト教圏のスペインで大きな影響力を持つようになる。さらに、南フランスでのキリスト教異端に対する取り締まりが強まるなかで、しばしば哲学的伝統が異端視され、周囲のユダヤ人社会に動揺をもたらした。こうした文化的伝統と社会的状況のなかで、イスラーム世界からの哲学の流入に一部のユダヤ人が強い懸念を示し、やがて大規模な論争が生じることとなった。

一二三〇年代の南フランスで起きたマイモニデス論争では、反対派が彼の哲学書を学ぶ者を破門すると宣告した。争点は『迷える者の導き』の内容ではなく、ユダヤ教の教育課程に哲学を組み込むことの是非であった。哲学を学ぶことで、聖書やタルムードの学習が軽視されてしまうのではないかと危惧する声が高まったのである。この論争で、哲学はユダヤ教伝統にとっての他者であることがあらためて意識された。加えて、反対派は北フランスの、賛成派はキリスト教圏スペインのユダヤ人指導者たちの権威に依拠して、お互いを破門しあうという状況が混乱を招いた。中世世界では各地のユダヤ人共同体がそれぞれ法的自治を保持し、独自の文化を形成していた。他の地域の権威を借りて破門を宣告する行為は、そうしたユダヤ教世界の共同体の自治を揺るがすものでもあった。

一四世紀になると、スペインのユダヤ人社会で、二五歳以下の者が哲学を学ぶことを禁止する法令が出された。ここで想定された哲学とは、アヴェロエスによるアリストテレス哲学であった。この法令自体はさほど効力を発揮しなかったが、以後スペインではギリシア・アラビア哲学への懐疑と反発が生じた。

†キリスト教世界のユダヤ哲学――クレスカス

この反発を内包するかたちで、中世ユダヤ哲学は最終段階を迎える。一四世紀以降、その舞台はスペインに移り、キリスト教のスコラ学に影響を受けたヘブライ語の哲学が展開されていくのである。その一人が、ハスダイ・クレスカス（一三四〇頃～一四一〇頃）である。クレスカスは一三九一年のスペイン各地でのユダヤ人迫害で息子を失い、キリスト教徒（特に「コンベルソ」と呼ばれるユダヤ人の改宗者）との激しい宗教論争に従事した。しかし、このキリスト教世界との対峙は、彼の哲学思想におけるキリスト教からの影響をもたらすものでもあった。

主著『主の光』において、クレスカスはマイモニデスの思想的基盤であるアリストテレス主義を批判するが、特にその自然学への批判が重要である。アリストテレスの世界観は、存在を運動としてとらえ、因果の連鎖の終点に第一原因としての神の存在を認めるものであった。そして、その運動論は真空の存在を否定するものであったが、クレスカスはそれを批判したのである。真空の可能性を認める彼の批判は、空間についての新たな理解をもたらした。アリストテレスは空間を物体の占める場所、すなわちある物体とそれを包む物体との境界として定義した（ゆえに真空はありえない）のに対し、物体の存在しない空間（真空）を認めるクレスカスは、空間が万物に先行して存在し、無限に拡大していくと主張する。それは、世界を真空の空間の無限な広がりとしてとらえようとする、新たな世界観であった。

さらに、クレスカスはその無限の観念にもとづいて世界創造を説明する。彼は無限を数や時間にも適用する。空間に非物体的な真空があるように、数を無数に増やしたものが無限なのではない。同じように、時間における無限もまた、時間の延長を超越した次元を含む。つまり、万物の存在とその世界に先行する仕方で、それらを超越した無限の空間と時間が実在する。神による創造とは、この実在する無限のなかで世界を生み出すことなのである。

この無限の実在は、クレスカスの神観念を決定的に特徴づけた（『主の光』二・一・六）。クレスカスは神を運動の根源としてではなく、愛の根源としてとらえる。そして、思索による知の探究ではなく、トーラーと伝承により神の愛を求めることが人間の目的であると主張する。神による創造が無限の実在において行われたことは、この世界に神の愛が満ちていることを意味する。神が万物を創造したことは、善性そのものである神が自らの無限の愛をそれらに注いだことに他ならない。そして、神の根源的な愛を無限の実在としてとらえることで、クレスカスは創造を、ある時間に行われた一回の行為ではなく、この世界の実在を維持する継続的な行為として理解したのである。聖書で神はイスラエルの民に、主を愛し、主の戒めと掟を守ることを求めた（申命記一〇・一二～一三）。つまり、人が自らの意志で神の命令（戒律）を実践することが、神を愛することなのである。

クレスカスは、アリストテレスやマイモニデスのような知性の完成をめざすギリシア・アラビア由来のユダヤ哲学にきわめて懐疑的であった。その一因として、知性よりも意志を強調する当時のスコラ学の潮流、なかでもドゥンス・スコトゥスの思想に影響を受けた可能性が挙げられる。加えて、ヘブライ語への翻訳によりイスラーム世界のユダヤ哲学に感化された者たちが、ユダヤ教の戒律を軽視し、その信仰から離れ、キリスト教に改宗するという、当時のスペイン・ユダヤ社会の深刻な問題を目撃していたことも、その懐疑を深めさせた。こうしたキリスト教世界との複雑な関係が、クレスカスをユダヤ哲学の新たな地平へと導いたのである。

†ユダヤ思想文化における哲学の影響――倫理、カバラー、キリスト教批判

クレスカス以降、ユダヤ教世界で大きな影響力を示した哲学者はほとんどいなかった。さらに、ユダヤ教という啓示宗教と対立し、聖書を宗教的権威から解放することを『神学・政治論』において宣言したバルーフ・スピノザ（一六三二～一六七七）をもって、中世ユダヤ哲学は終焉を迎えたともいえる。

しかし、中世の思想家たちの好奇心と努力によってユダヤ教世界に深く根を下ろした哲学は、タルムード時代のヘレニズム思想のように徹底的に排除されることはなかった。むしろ、ユダヤ教のさまざまな思想文化において受け継がれていったのである。

たとえば、バフヤ・イブン・パクーダ（一〇五〇頃〜一一二〇）の『心の義務』は、外見上の振る舞いと対置する内面の霊性の重要性を唱えた著作として、現代まで続くユダヤ教の倫理思想の先駆となった。そして、イブン・パクーダにとって、人を敬虔にし、道徳的生活を実現させるものは理性に他ならなかった。彼の説く倫理とは、現世の感情的な喜びにとらわれるのではなく、神を理性によって把握し、それによって神を愛することであった。この理性による神への愛（「勤勉さ」）は、自分の隣人を愛し、尊敬することでもあった。このような倫理を獲得することが、魂の永遠の喜びを求めることにつながるのである。

また、哲学は黎明期のカバラーにおいて、独特な仕方で受容された。両者は対立的にとらえられがちだが、たとえばナフマニデス（一一九四〜一二七〇）は、すべてのユダヤ教の戒律には理由があるというマイモニデスの考察を受けて、それらの理由に隠された秘義を探究した。ナフマニデスの教えにおける戒律の秘義とは、人間の宗教的行為が神に影響を与えることである。カバラー的世界観では、ユダヤ人の罪行と離散（ディアスポラ）という状況が、この世に顕現した神の世界（前述のセフィロートの体系で象徴される）の調和を喪失させる。この神の世界を修復する役割が、ユダヤ教の日々の実践に隠されているのである。

また、アブラハム・アブラフィア（一二四〇～一二九一頃）も同じくマイモニデスの哲学を丹念に読み、そこから独自のカバラーを展開した。それは、知性の完成による神との合一をめざす実践であった。アブラフィアはマイモニデスの預言論に依拠しつつ、知性の完成者としての預言者の水準に到達するためには、ギリシア的な知ではなく、ヘブライ文字に内包された創造的な力を引き出すための、一連の神名の朗唱と瞑想が必要であると考えた。こうしたスペインのカバラー思想には、マイモニデスの哲学における発想や理論が取り入れられているのである。

さらに、キリスト教の教義を論駁するユダヤ人の著作にも哲学の影響が見てとれる。ヤコブ・ベン・ルーベン（一二世紀後半）の『主の戦い』やプロファイト・ドゥラン（一四一四頃没）の『異教徒の恥辱』では、聖書と理性という二つの根拠にもとづいて、三位一体や実体変化、受肉などの教義が体系的に批判される。彼らのキリスト教批判は、宗教とは理性を基盤としたものであるべきであるという宗教観を反映している。これらの対キリスト教論争文学は、キリスト教を攻撃することよりも、キリスト教に改宗させようとする布教活動からユダヤ人を守ることを目的としていた。つまり、中世以前には他者であった哲学が、いまやユダヤ人とユダヤ教を守るための盾としての役割を果たすと考えられているのである。

確かに、中世後期以降、ユダヤ哲学は顕著に衰退していった。しかし、異邦の思想と向き合い、吸収せんとする哲学者たちのあくなき挑戦によって、哲学はユダヤ教世界に深く浸透し、ユダヤ教文化の基盤として生き続けていったのである。

さらに詳しく知るための参考文献

井筒俊彦「中世ユダヤ哲学史」(『岩波講座東洋思想　第二巻　ユダヤ思想2』岩波書店、一九八八年所収)……イスラーム研究の碩学による詳細な中世ユダヤ哲学の解説。

ユリウス・グットマン『ユダヤ哲学――聖書時代からフランツ・ローゼンツヴァイクに至る』(合田正人訳、みすず書房、二〇〇〇年)……二〇世紀初頭までのユダヤ哲学の全貌を歴史的に概観した、この分野の最も重要な著作の一つ。

市川裕『ユダヤ教の精神構造』(東京大学出版会、二〇〇四年)/同『ユダヤ人とユダヤ教』(岩波新書、二〇一九年)……宗教学の視座に立ち、長らくユダヤ教を研究してきた碩学による研究書。ユダヤ教について、歴史や信仰、学問、社会の視点から多角的に論じている。

A・J・ヘッシェル『マイモニデス伝』(森泉弘次訳、教文館、二〇〇六年)……ユダヤ教最大の思想家マイモニデスの生涯をたどった著作。著者のヘッシェル自身も現代のユダヤ教を代表する思想家として名高い。

あとがき

ファン・ステーンベルヘン（一九〇四～一九九三）というベルギーの学者の著書に『一三世紀革命』（青木靖三訳、みすず書房、一九六八年）がある。いまでは絶版だが、一三世紀哲学を主題化しようと思うと、手に取らずにはいられない本だ。「一二世紀ルネサンス」という言葉があるように一二世紀は目立つが、一三世紀は少し地味だから。

西洋の一三世紀は大学の世紀であり、アリストテレスが盛んに読まれた時期だ。そして、一二七〇年と一二七七年にパリ司教エティエンヌ・タンピエの弾圧により、アリストテレスの著作を読むことが禁じられたとされている。その禁令は有名無実で、パリ大学ではアリストテレスが講じられ続けたのである。

アリストテレスが禁じられることによって、そこに含まれる目的論的な世界観が抑圧され、近世の機械論的自然観が準備されたという説が出されたときがある。科学史家ピエール・デュエム（一八六一～一九一六）の説であるので「デュエム・テーゼ」と呼ばれた。学問の自由を抑圧する禁令が近代化を準備したというのである。

今では「デュエム・テーゼ」は顧みられることもない。全一〇巻に及ぶ『世界の体系』（一九一三〜一九五九年）には、当時の自然学書の膨大な引用があり、彼の博覧強記ぶりと天才が圧倒的に感じられる。だがその大全も図書館の隅に埃だらけになっている様子が、過去の栄華と現在の忘却の落差を示し、佇み眺める者の心を痛める。

いずれにしても、一三世紀はアリストテレスが精読された時代であり、そのアリストテレスをどのように位置づけるかにファン・ステーンベルヘンの関心はあった。だから、急進的アリストテレス主義、アウグスティヌス的アリストテレス主義、キリスト教的アリストテレス主義などという分類がなされたのである。

確かにアリストテレスの哲学の天才ぶりは驚異的である。生物や植物をめぐる分類学的拘泥や哲学において新しい概念とそれを表現する術語創造力は、その後の西洋哲学を根本から決定するほどであった。アリストテレスが近世に否定されたとしても、その影響は二一世紀に至るまで決定的に根強く残っている。

しかし一方で目を世界に転じると、アリストテレスの哲学も、特定の地域の哲学でしかないのではないかという気にもなる。鎌倉仏教を見るにしても、中国の宋学の展開を見るとしても、インドの形而上学を見るとしても、アリストテレスの枠組みが適用できるような布置にはなっていない。

いや、いかに地域的に特殊に見える思想群もその根底に普遍的な哲学形式があり、それをアリストテレスは表現しているという見方も十分に可能だ。しかし、そのことはこれから確認されなければならないことなのである。

第4巻に寄稿していただいた諸論考を見ると、世界哲学はこれから船出をすると思えてならない。世界の諸地域の思想の根底に共通するものが存在するのかどうか、「未踏の大地」を探すこと、それこそ我々に課せられた課題なのである。この『世界哲学史』のシリーズは、哲学史の波濤を乗り越えるという課題を伝えるために存在している。

船出の興奮が伝えられれば幸いである。下船することを許されない乗組員（編集者）として、実は舵取りも行っている筑摩書房編集部の松田健さんに御礼申し上げる。

第4巻編者　山内志朗

編・執筆者紹介

伊藤邦武（いとう・くにたけ）【編者】
一九四九年生まれ。京都大学名誉教授。京都大学大学院文学研究科博士課程単位取得退学。スタンフォード大学大学院哲学科修士課程修了。専門は分析哲学・アメリカ哲学。著書『プラグマティズム入門』（ちくま新書）、『宇宙はなぜ哲学の問題になるのか』（ちくまプリマー新書）、『パースのプラグマティズム』（勁草書房）、『ジェイムズの多元的宇宙論』（岩波書店）、『物語　哲学の歴史』（中公新書）など多数。

山内志朗（やまうち・しろう）【編者／はじめに・第1章・あとがき】
一九五七年生まれ。慶應義塾大学文学部教授。東京大学大学院人文科学研究科博士課程単位取得退学。専門は西洋中世哲学、倫理学。著書『普遍論争』（平凡社ライブラリー）、『天使の記号学』（岩波書店）、『「誤読」の哲学』（青土社）、『小さな倫理学入門』『感じるスコラ哲学』（以上、慶應義塾大学出版会）、『湯殿山の哲学』（ぷねうま舎）など。

中島隆博（なかじま・たかひろ）【編者】
一九六四年生まれ。東京大学東洋文化研究所教授。東京大学大学院人文科学研究科博士課程中途退学。専門は中国哲学、比較思想史。著書『悪の哲学――中国哲学の想像力』（筑摩選書）、『荘子――鶏となって時を告げよ』（岩波書店）、『思想としての言語』（岩波現代全書）、『残響の中国哲学――言語と政治』『共生のプラクシス――国家と宗教』（以上、東京大学出版会）など。

納富信留（のうとみ・のぶる）【編者】
一九六五年生まれ。東京大学大学院人文社会系研究科教授。東京大学大学院人文科学研究科修士課程修了。ケンブリッジ大学大学院古典学部博士号取得。専門は西洋古代哲学。著書『ソフィストとは誰か？』『哲学の誕生――ソクラテスとは何者か』（以上、ちくま学芸文庫）、『プラトンとの哲学――対話篇をよむ』（岩波新書）など。

＊

山口雅広（やまぐち・まさひろ）【第2章】
一九七六年生まれ。龍谷大学文学部准教授。京都大学大学院文学研究科博士後期課程修了。博士（文学）。専門は西洋中世哲学、宗教哲学。著書『西洋中世の正義論』（共編著、晃洋書房）、『哲学ワールドの旅』（共著、晃洋書房）など。訳書『中世の哲学――ケンブリッジ・コンパニオン』（共訳、京都大学学術出版会）。

本間裕之（ほんま・ひろゆき）【第3章】
一九九二年生まれ。東京大学大学院人文社会系研究科博士課程在学。同大学院修士課程修了。専門は西洋中世哲学。論文「ドゥンス・スコトゥスの形相的区別について：意味論的観点から」（『哲学』第七〇号）など。

小村優太（こむら・ゆうた）【第4章】
一九八〇年生まれ。早稲田大学文学学術院専任講師。東京大学大学院総合文化研究科博士課程満期退学。博士（学術、東京大学）。専門はアラビア哲学、イスラーム思想。論文「イブン・シーナーの認識論」（『イスラーム哲学とキリスト教中世　I　理論哲学』岩波書店）、「『純粋善について』の存在論（二）Anniyah と Wujūd」（『存在論の再検討』月曜社）など。翻訳にフランソワ・デロッシュ『コーラン――構造・教義・伝承』（文庫クセジュ）など。

松根伸治（まつね・しんじ）【第5章】
一九七〇年生まれ。南山大学人文学部教授。京都大学大学院文学研究科博士後期課程修了。博士（文学）。専門は西洋中世の倫理思想。著書『悪の意味――キリスト教の視点から』（共著、新教出版社）、『芸術理論古典文献アンソロジー西洋篇』（共著、幻冬舎）。訳書トマス・アクィナス『神学大全　第21冊』（共訳、創文社）など。

藤本　温（ふじもと・つもる）【第6章】
一九六四年生まれ。名古屋工業大学大学院工学研究科教授。京都大学大学院文学研究科博士後期課程修了。博士（文学）。専門は西洋哲学史。著書『西洋中世の正義論』（共編著、晃洋書房）、『西洋哲学史II』（共著、講談社選書メチエ）、『哲学の歴史3』（共著、中央公論新社）など。

辻内宣博（つじうち・のぶひろ）【第7章】
一九七五年生まれ。早稲田大学商学部准教授。京都大学大学院文学研究科博士後期課程修了。博士（文学）。専門は西洋中世哲学。論文「14世紀における時間と魂との関係――オッカムとビュリダン」（『西洋中世研究』第三号）、「感覚認識と知性認識の境界線――『デ・アニマ問題集』におけるビュリダンの認識理論」（『中世思想研究』第四八号）、「理性と信仰の狭間で――ビュリダンにおける人間の魂を巡る問題」（『中世哲学研究』第二四号）など。

垣内景子（かきうち・けいこ）【第8章】
一九六三年生まれ。早稲田大学文学学術院教授。早稲田大学大学院文学研究科博士後期課程単位取得退学。博士（文学）。専門は東洋哲学。著書『「心」と「理」をめぐる朱熹思想構造の研究』（汲古書院）、『朱子学入門』（ミネルヴァ書房）など。

蓑輪顕量（みのわ・けんりょう）【第9章】
一九六〇年生まれ。東京大学大学院人文社会系研究科教授。同大学院博士課程修了。博士（文学）。専門は仏教思想史、日本仏教。著書『中世初期南都戒律復興の研究』（法蔵館）、『仏教瞑想論』『日本仏教史』（以上、春秋社）など。

志田雅宏（しだ・まさひろ）【第10章】
一九八一年生まれ。東京大学大学院人文社会系研究科専任講師。東京大学大学院人文社会系研究科博士課程修了。専門は宗教学、ユダヤ教研究。著書『ユダヤ教とキリスト教』（共著、リトン）、『一神教世界の中のユダヤ教』（共編著、リトン）、訳書M・ハルバータル『書物の民』（教文館）など。

佐藤　優（さとう・まさる）【コラム1】
一九六〇年生まれ。作家・元外務省主任分析官。同志社大学大学院神学研究科修了。著書『国家の罠』『自壊する帝国』（新潮社）、『読書の技法』（東洋経済新報社）、『獄中記』（岩波現代文庫）、『宗教改革の物語』（角川書店）、『格差社会を生き抜く読書』（共著、ちくま新書）など。

佐々木　亘（ささき・わたる）【コラム２】
一九五七年生まれ。鹿児島純心女子短期大学教授。南山大学大学院文学研究科博士課程単位取得退学。京都大学博士（文学）、神戸大学博士（経済学）、南山大学博士（宗教思想）。専門は中世哲学・思想史。著書『トマス・アクィナスの人間論』、『共同体と共同善』（以上、知泉書館）、『トマス・アクィナスにおける法と正義』（教友社）など。訳書『中世の哲学』（共訳、京都大学学術出版会）。

小池寿子（こいけ・ひさこ）【コラム３】
一九五六年生まれ。國學院大學文学部教授。お茶の水女子大学大学院人間文化研究科博士課程満期退学。専門は西洋美術史。著書『死者たちの回廊』（平凡社ライブラリー）、『屍体狩り』（白水Uブックス）、『死を見つめる美術史』（ちくま学芸文庫）、『「死の舞踏」への旅――踊る骸骨たちをたずねて』（中央公論新社）、『内臓の発見――西洋美術における身体とイメージ』（筑摩選書）など。

秋山　学（あきやま・まなぶ）【コラム４】
一九六三年生まれ。筑波大学人文社会系教授。東京大学大学院総合文化研究科博士課程修了。博士（学術）。専門は古典古代学。著書『ハンガリーのギリシア・カトリック教会――伝承と展望』『教父と古典解釈――予型論の射程』（以上、創文社）、『律から密へ――晩年の慈雲尊者』（春風社）、『アレクサンドリアのクレメンス――ストロマテイス（綴織）Ⅰ・Ⅱ』（原典訳、教文館）など。

人名索引

あ行

か行

さ行

た行

な行

は行

ま行

や行

ら行

ら行

わ行

年表

	ヨーロッパ	北アフリカ・アジア(西・中央・南)
1200	**1200頃　サン＝タムールのギヨーム、生まれる〔-1272〕、アルベルトゥス・マグヌス、生まれる〔-1280〕** **1200/1　イブン・アラビー、アンダルシアから東方に向けて旅立つ** 1204　第4回十字軍、コンスタンティノポリスを占領、ラテン帝国建国	**1201　ナシールッディーン・トゥーシー、生まれる〔-1274〕** **1204　マイモニデス、エジプトで没** **1205　ファフルッディーン・ラージー、ヘラートで没** **1207　ジャラールッディーン・ルーミー、生まれる〔-1273〕。サドルッディーン・クーナウィー、生まれる〔-1274〕**
1210	1215　第4ラテラノ公会議 **1216　ドミニコ会が設立される** **1217頃　ボナヴェントゥラ、生まれる〔-1274〕**	
1220	**1220頃　ロジャー・ベイコン、生まれる〔-1294〕。ミカエル・スコトゥスが、アヴェロエス、アリストテレスの翻訳を始める** **1225頃　トマス・アクィナス、生まれる〔-1274〕** **1226　アッシジのフランチェスコ、没** 1229　十字軍、エルサレムを奪回	**1221　ファリードッディーン・アッタール、モンゴル軍によって殺害される** 1221頃　チンギス・ハン軍がインドに侵入。これ以降、モンゴル軍の北インド侵入が繰り返される
1230	1232　グラナダで、ナスル朝成立〔-1492〕	**1236　クトゥブッディーン・シーラージー、生まれる〔-1311〕** **1238　ユーヌス・エムレ、生まれる〔-1320〕**

太字は哲学関連事項

中国・朝鮮	日本	
1200　朱熹、没 1206　チンギス・ハンによりモンゴル帝国建国 **1209　許衡、生まれる〔-1281〕**	**1200　道元、生まれる〔-1253〕** **1201　叡尊、生まれる〔-1290〕、弁暁、没** **1202　円爾、生まれる〔-1280〕、宗性、生まれる〔-1278〕**	1200
1210　知訥、没	**1212　法然、没** **1213　蘭渓道隆、生まれる〔-1278〕** **1213　解脱貞慶、没** **1215　栄西、没**	1210
1223　王応麟、生まれる〔-1296〕	1221　承久の乱 1221 頃『平家物語』成立 **1222　日蓮、生まれる〔-1282〕** **1226　頼瑜、生まれる〔-1304〕** **1227　俊芿、没。道元、宋より帰国し、曹洞宗を伝える**	1220
1231　郭守敬、生まれる〔-1316〕 1234　金、モンゴル・南宋軍により滅亡 **1235　真徳秀、没** **1237　魏了翁、没**	**1239　一遍、生まれる〔-1289〕**	1230

	ヨーロッパ	北アフリカ・アジア(西・中央・南)
1240	**1240　アブラハム・アブラフィア、生まれる〔-1291頃〕** 1241　ワールシュタットの戦いで、モンゴル軍がドイツ連合軍を破る **1248頃　ペトルス・ヨハネス・オリヴィ、生まれる〔-1298〕**	**1240　イブン・アラビー、ダマスカスで没**
1250	**1255　パリ大学学芸学部、アリストテレスの著作をカリキュラムに入れる**	**1250　アッラーマ・ヒッリー、生まれる〔-1325〕** 1256　フレグ率いるモンゴル軍によってニザール派の本拠地アラームトが陥落 **1258　イブン・タイミーヤ、生まれる〔-1326〕。ルーミー、『精神的マスナヴィー』の執筆を開始。**フレグ率いるモンゴル軍によりバグダードが陥落してアッバース朝が滅亡、大殺戮と破壊が行われる **1259　マラーガ天文台設立**
1260	1261　コンスタンティノポリスを奪回し、ビザンツ帝国再興。パライオロゴス朝が始まる〔-1453　ビザンツ帝国滅亡〕 **1265　ダンテ、生まれる〔-1321〕** **1265頃　ドゥンス・スコトゥス、生まれる〔-1308〕、トマス・アクィナス『神学大全』執筆開始**	

中国・朝鮮	日本	
1244　耶律楚材、没 1249　呉澄、生まれる〔-1333〕	1240　凝然、生まれる〔-1321〕 1249　覚盛、没	1240
	1252　良遍、没 1253　蘭渓道隆、建長寺を開山	1250
	1262 頃　唯円『歎異抄』成立 1263　親鸞、没 1266 頃　『吾妻鏡』成立	1260

	ヨーロッパ	北アフリカ・アジア(西・中央・南)
1270	**1270 ナフマニデス、没。**マルコ・ポーロ、東洋に向かって出発する **1270頃 この頃からパリ大学でラテン・アヴェロエス主義者の活動が活発化** **1272 アブヴィルのゲラルドゥス、没** 1274 第2リヨン公会議 **1270/90 パドヴァのマルシリウス、生まれる〔-1342〕** **1277 タンピエの禁令**	**1273 メヴレヴィー教団が設立される**
1280	**1285頃 ウィリアム・オッカム、生まれる〔-1347頃〕**	
1290	**1296 グレゴリオス・パラマス、生まれる〔-1357/9〕**	1299 オスマン朝が興る〔-1922〕
1300	**1300頃 ジャン・ビュリダン、生まれる〔-1362頃〕。リミニのグレゴリウス、生まれる〔-1358〕** 1304 ペトラルカ、生まれる〔-1374〕 1309 教皇のバビロン捕囚〔-1377〕	
1310		**1314 ラシード・アッディーン『集史』成立**
1320	**1320頃 ザクセンのアルベルトゥス、生まれる〔-1390〕。ニコール・オレーム、生まれる〔-1382〕**	**1325/6 ハーフェズ、生まれる〔-1389/90〕**
1330	**1331頃 ジョン・ウィクリフ、生まれる〔-1384〕** 1337 百年戦争開始〔-1453〕 **1337頃 ヘシュカスム論争〔-1351〕**	**1332 イブン・ハルドゥーン、生まれる〔-1406〕**

中国・朝鮮	日本	
1271　フビライ・ハン、国号を大元（元）とする〔-1368〕 1275　マルコ・ポーロ、大都に到着 1279　南宋、元軍により滅亡	1274　文永の役 **1278　虎関師錬、生まれる〔-1347〕**	1270
1280　郭守敬や許衡らにより授時暦が完成する	**1280 頃　『神道五部書』成立** 1281　弘安の役 **1283　無住『沙石集』成立**	1280
1294　モンテコルヴィノ大司教による中国布教〔-1328〕	**1297　大覚、生まれる〔-1364〕**	1290
		1300
1313　宋の滅亡以来中断していた科挙が再開		1310
	1320　度会家行『類聚神祇本源』成立	1320
	1330　吉田兼好『徒然草』成立 1333　鎌倉幕府が滅ぶ。建武の新政 1336　南北朝分裂	1330

	ヨーロッパ	北アフリカ・アジア(西・中央・南)
1340	**1340 頃　ハスダイ・クレスカス、生まれる〔-1410 頃〕** 1347　ペスト大流行〔-1350〕	
1350		
1360	**1360 頃　プレトン、生まれる〔-1452〕** **1363　ジャン・ジェルソン、生まれる〔-1429〕**	
1370	1378　教会大分裂〔-1417〕	1370　ウズベキスタン中央部に、ティムール朝が成立〔-1507〕
1390	1396　ニコポリスの戦いで、オスマン帝国がハンガリーを破る	
1400		1402　アンカラの戦い
1410	**1415　ヤン・フス火刑に**	

中国・朝鮮	日本	
1346　イブン・バットゥータが大都に到着	**1344　夢窓疎石『夢中問答集』成立**	1340
1351　紅巾の乱 **1357　方孝孺、生まれる〔-1402〕**		1350
1368　元の大都が陥落。明が成立	**1360 頃　『神道集』成立** 1363　世阿弥、生まれる〔-1443〕	1360
1370　科挙の制度が定められる	1375 頃　『太平記』成立	1370
1392　朝鮮（李氏）が成立〔-1910〕 1397　洪武帝、『六諭』を発布	1392　南北朝合一 1397　足利義満、金閣寺を造営	1390
1405　鄭和の南海遠征〔-1433〕	1404　勘合貿易開始	1400
1415　『四書大全』『五経大全』『性理大全』の完成		1410

ちくま新書
1463

世界哲学史《せかいてつがくし》4

——中世《ちゅうせい》II 個人《こじん》の覚醒《かくせい》

二〇二〇年四月一〇日 第一刷発行
二〇二〇年五月一五日 第二刷発行

編者 伊藤邦武(いとう・くにたけ)
山内志朗(やまうち・しろう)
中島隆博(なかじま・たかひろ)
納富信留(のうとみ・のぶる)

発行者 喜入冬子
発行所 株式会社 筑摩書房
東京都台東区蔵前二-五-三 郵便番号一一一-八七五五
電話番号〇三-五六八七-二六〇一(代表)
装幀者 間村俊一
印刷・製本 株式会社 精興社

ISBN978-4-480-07294-8 C0210

ちくま新書

1460
世界哲学史1
――古代Ⅰ　知恵から愛知へ
［責任編集］伊藤邦武／山内志朗
中島隆博／納富信留
人類は文明の始まりに世界と魂をどう考えたのか。古代オリエント、旧約聖書世界、ギリシアから、中国、インドまで、世界哲学が立ち現れた場に多角的に迫る。

1461
世界哲学史2
――古代Ⅱ　世界哲学の成立と展開
［責任編集］伊藤邦武／山内志朗
中島隆博／納富信留
キリスト教、仏教、儒教、ゾロアスター教、マニ教などの宗教的思考について哲学史の観点から領域横断的に検討。「善悪と超越」をテーマに、宗教的思索の起源に迫る。

1462
世界哲学史3
――中世Ⅰ　超越と普遍に向けて
［責任編集］伊藤邦武／山内志朗
中島隆博／納富信留
七世紀から一二世紀まで、ヨーロッパ、ビザンツ、イスラーム世界、中国やインド、そして日本の多様な形而上学の発展を、相互の豊かな関わりのなかで論じていく。

1060
哲学入門
戸田山和久
言葉の意味とは何か。私たちは自由意志をもつのか。人生に意味はあるか……こうした哲学の中心問題を科学が明らかにした世界像の中で考え抜く、常識破りの入門書。

1165
プラグマティズム入門
伊藤邦武
これからの世界を動かす思想として、いま最も注目されるプラグマティズム。アメリカにおけるその誕生から最新の研究動向まで、全貌を明らかにする入門書決定版。

1322
英米哲学入門
――「である」と「べき」の交差する世界
一ノ瀬正樹
夢と現実って本当に区別できるの？　この世界に実は因果関係なんて存在しない？　哲学の根本問題を経験や言語を足場に考え抜く、笑いあり涙あり（？）の入門講義。

832
わかりやすいはわかりにくい？
――臨床哲学講座
鷲田清一
人はなぜわかりやすい論理に流され、思い通りにゆかず苛立つのか――常識とは異なる角度から哲学的に物事を見る方法をレッスンし、自らの言葉で考える力を養う。

666 高校生のための哲学入門 長谷川宏
どんなふうにして私たちの社会はここまできたのか。「知」の在り処はどこか。ヘーゲルの翻訳で知られる著者が、自身の思考の軌跡を踏まえて書き下ろす待望の書。

482 哲学マップ 貫成人
難解かつ広大な「哲学」の世界に踏み込むにはどうしても地図が必要だ。各思想のエッセンスと思想間のつながりを押さえて古今東西の思索を鮮やかに一望する。

545 哲学思考トレーニング 伊勢田哲治
哲学って素人には役立たず？　否、そこは使える知のツールの宝庫。屁理屈や権威にだまされず、筋の通った思考を自分の頭で一段ずつ積み上げてゆく技法を完全伝授！

901 ギリシア哲学入門 岩田靖夫
「いかに生きるべきか」という問題は一個人の幸福から「正義」への問いとなり、共同体＝国家像の検討へつながる。ギリシア哲学を通してこの根源的なテーマに迫る。

301 アリストテレス入門 山口義久
論理学の基礎を築き、総合的知の枠組をつくりあげた古代ギリシア哲学の巨人。その思考の方法と核心に迫り、知の探究の軌跡をたどるアリストテレス再発見！

589 デカルト入門 小林道夫
デカルトはなぜ近代哲学の父と呼ばれるのか？　行動人としての生涯と認識論・形而上学から自然学・宇宙論におよぶ壮大な知の体系を、現代の視座から解き明かす。

029 カント入門 石川文康
哲学史上不朽の遺産『純粋理性批判』を中心に、その哲学の核心を平明に読み解くとともに、哲学者の内面のドラマに迫り、現代に甦る生き生きとしたカント像を描く。

ちくま新書

740 カントの読み方　中島義道
超有名な哲学者カントは、翻訳以前にそもそも原文も難しい。カントをしつこく研究してきた著者が『純粋理性批判』を例に、初心者でも読み解ける方法を提案する。

1182 カール・マルクス
――「資本主義」と闘った社会思想家　佐々木隆治
カール・マルクスの理論は、今なお社会変革の最強の武器であり続けている。最新の文献研究からマルクスの実像に迫ることで、その思想の核心を明らかにする。

008 ニーチェ入門　竹田青嗣
新たな価値をつかみなおすために、今こそ読まれるべき思想家ニーチェ。現代の我々をも震撼させる哲人の核心に大胆果敢に迫り、明快に説く刺激的な入門書。

020 ウィトゲンシュタイン入門　永井均
天才哲学者が生涯を賭けて問いつづけた「語りえないもの」とは何か。写像・文法・言語ゲームと展開する特異な思想に迫り、哲学することの妙技と魅力を伝える。

071 フーコー入門　中山元
絶対的な〈真理〉という〈権力〉の鎖を解きはなち、〈別の仕方〉で考えることの可能性を提起した哲学者、フーコー。一貫した思考の歩みを明快に描きだす新鮮な入門書。

922 ミシェル・フーコー
――近代を裏から読む　重田園江
社会の隅々にまで浸透した「権力」の成り立ちを問い、常識的なものの見方に根底から揺さぶりをかけるフーコー。その思想の魅力と強靭さをとらえる革命的入門書！

081 バタイユ入門　酒井健
西欧近代への徹底した批判者でありつづけた「死とエロチシズム」の思想家バタイユ。その豊かな情念に貫かれた思想を明快に解き明かす、若い読者のための入門書。

ちくま新書

200 レヴィナス入門 熊野純彦

フッサールとハイデガーに学びながらも、ユダヤの伝統を継承し独自の哲学を展開したレヴィナス。収容所体験から紡ぎだされた強靭で繊細な思考をたどる初の入門書。

277 ハイデガー入門 細川亮一

二〇世紀最大の哲学書『存在と時間』の成立をめぐる謎とは？ 難解といわれるハイデガーの思考の核心を読み解き、西洋哲学が問いつづけた「存在への問い」に迫る。

1229 アレント入門 中山元

生涯、全体主義に対峙し、悪を考察した思想家ハンナ・アレント。その思索の本質を『全体主義の起原』『イェルサレムのアイヒマン』などの主著を通して解き明かす。

1416 ハンナ・アーレント
——屹立する思考の全貌 森分大輔

激動の現代史において全体主義や悪と対峙し続けたユダヤ人思想家・アーレント。その思索の全貌を、哲学・政治・思想の各視点から七つの主著を精読し明らかにする。

776 ドゥルーズ入門 檜垣立哉

没後十年以上を経てますます注視されるドゥルーズ。哲学史的な文脈と思想的変遷を踏まえ、その豊かなイマージュと論理を読む。来るべき思想の羅針盤となる一冊。

265 レヴィ＝ストロース入門 小田亮《まこと》

若きレヴィ＝ストロースに哲学の道を放棄させ、ブラジル奥地へと駆り立てたものは何か。現代思想に影響を与えた豊かな思考の核心を読み解く構造人類学の冒険。

1272 入門 ユダヤ思想 合田正人

世界中に散りつつ一つの「民族」の名のもとに存続するユダヤ。居場所とアイデンティティを探求するその英知とは？ 起源・異境・言語等、キーワードで核心に迫る。

ちくま新書

1098
古代インドの思想
――自然・文明・宗教
山下博司
インダス文明の謎とヒンドゥー教の萌芽。アーリヤ人侵入とヴェーダの神々。ウパニシャッドから仏教・ジャイナ教へ……。多様性の国の源流を、古代世界に探る。

1285
イスラーム思想を読みとく
松山洋平
「過激派」と「穏健派」はどこが違うのか？　テロに警鐘を鳴らすのでも、平和な宗教として擁護するのでもない、イスラームの対立構造を浮き彫りにする一冊。

1081
空海の思想
竹内信夫
「密教」の中国伝播という仏教の激動期に入唐した空海は何を得たのだろうか。中世的「弘法大師」信仰を解体し、空海の言葉に込められた「いのちの思想」に迫る。

1284
空海に学ぶ仏教入門
吉村均
空海の教えにこそ、伝統仏教の教義の核心が凝縮されている。弘法大師が説く、苦しみから解放される心のあり方「十住心」に、真の仏教の教えを学ぶ画期的入門書。

1370
チベット仏教入門
――自分を愛することから始める心の訓練
吉村均
生と死の教えが世界的に注目されているチベットの仏教。その正統的な教えを解説した初めての入門書。基礎的な知識から学び方、実践法までをやさしく説き明かす。

1325
神道・儒教・仏教
――江戸思想史のなかの三教
森和也
江戸の思想を支配していた神道・儒教・仏教にこそ、現代人の思考の原風景がある。これら三教が交錯しつつ形作っていた豊かな思想の世界を丹念に読み解く野心作。

1330
神道入門
――民俗伝承学から日本文化を読む
新谷尚紀
神道とは何か。古代の神祇祭祀に仏教・陰陽道・道教など多様な霊験信仰を混淆しつつ、国家神道を経て今日の形に至るまで。その中核をなす伝承文化と変遷を解く。

990
入門　朱子学と陽明学
小倉紀蔵
儒教を哲学化した朱子学と、それを継承しつつ克服しようとした陽明学。東アジアの思想空間を今も規定するその世界観の真実に迫る、全く新しいタイプの入門概説書。

1292
朝鮮思想全史
小倉紀蔵
なぜ朝鮮半島では思想が炎のように燃え上がるのか。古代から現代韓国・北朝鮮まで、さまざまに展開されてきた思想を霊性的視点で俯瞰する。初めての本格的通史。

1099
日本思想全史
清水正之
外来の宗教や哲学を受け入れ続けてきた日本人。その根底に流れる思想とは何か。古代から現代まで、この国のものの考え方のすべてがわかる、初めての本格的通史。

1343
日本思想史の名著30
苅部直
古事記から日本国憲法、丸山眞男『忠誠と反逆』まで、日本思想史上の代表的名著30冊を選りすぐり徹底解説。人間や社会をめぐる、この国の思考を明らかにする。

1215
カトリック入門
——日本文化からのアプローチ
稲垣良典
日本文化はカトリックを受け入れられるか。日本的霊性と超越的存在の問題から、カトリシズムの本質に迫る。中世哲学の第一人者による待望のキリスト教思想入門。

956
キリスト教の真実
——西洋近代をもたらした宗教思想
竹下節子
ギリシャ思想とキリスト教の関係を検討し、近代ヨーロッパが覚醒する歴史を辿る。キリスト教という合せ鏡をとおして、現代世界の設計思想を読み解く探究の書。

1459
女のキリスト教史
——「もう一つのフェミニズム」の系譜
竹下節子
キリスト教は女性をどのように眼差してきたのか。聖母マリア、ジャンヌ・ダルク、マザー・テレサ……、世界を動かした女性たちの差別と崇敬の歴史を読み解く。

ちくま新書

1287-1
人類5000年史Ⅰ
――紀元前の世界
出口治明
人類五〇〇〇年の歩みを通読する、新シリーズの第一巻、ついに刊行！　文字の誕生から知の爆発の時代まで紀元前三〇〇〇年の歴史をダイナミックに見通す。

1287-2
人類5000年史Ⅱ
――紀元元年～1000年
出口治明
人類史を一気に見通すシリーズの第二巻。漢とローマ二大帝国の衰退、世界三大宗教の誕生、陸と海のシルクロード時代の幕開け等、激動の1000年が展開される。

1287-3
人類5000年史Ⅲ
――1001年～1500年
出口治明
十字軍の遠征、宋とモンゴル帝国の繁栄など人や物の交流が盛んになるが、気候不順、ペスト流行にも見舞われる。ルネサンスも勃興し、人類は激動の時代を迎える。

1342
世界史序説
――アジア史から一望する
岡本隆司
ユーラシア全域と海洋世界を視野にいれ、古代から現代までを一望。西洋中心的な歴史観を覆し、「世界史の構造」を大胆かつ明快に語る。あらたな通史、ここに誕生！

1147
ヨーロッパ覇権史
玉木俊明
オランダ、ポルトガル、イギリスなど近代ヨーロッパ諸国の台頭は、世界を一変させた。本書は、軍事革命、大西洋貿易、アジア進出など、その拡大の歴史を追う。

888
世界史をつくった海賊
竹田いさみ
スパイス、コーヒー、茶、砂糖、奴隷……歴史の陰には、常に奴らがいた。開拓の英雄であり、略奪者で厄介者でもあった〝国家の暴力装置〟から、世界史を捉えなおす！

994
やりなおし高校世界史
――考えるための入試問題8問
津野田興一
世界史は暗記科目なんかじゃない！　大学入試を手掛かりに、自分の頭で歴史を読み解けば、現在とのつながりが見えてくる。高校時代、世界史が苦手だった人、必読。

ちくま新書

744
宗教学の名著30
島薗進
哲学、歴史学、文学、社会学、心理学など多領域から宗教理解、理論の諸成果を取り上げ、現代における宗教的なものの意味を問う。深い人間理解へ誘うブックガイド。

1201
入門　近代仏教思想
碧海寿広
近代日本の思想は、西洋哲学と仏教の出会いの中に生まれた。井上円了、清沢満之、近角常観、暁烏敏、倉田百三らの思考を掘り起こし、その深く広い影響を解明する。

886
親鸞
阿満利麿
親鸞が求め、手にした「信心」とはいかなるものか。時代の大転換期において、人間の真のあり様を見据え、新しい救済の物語を創出したこの人の思索の核心を示す。

918
法然入門
阿満利麿
私に誤りはなく、私の価値観は絶対だ――愚かな人間のための唯一の仏教とは。なぜ念仏一行なのか。日本史上最大の衝撃を宗教界にもたらした革命的思想を読みとく。

936
神も仏も大好きな日本人
島田裕巳
日本人はなぜ、無宗教と思いこんでいるのか？　神道と仏教がどのように融合し、分離されたか、その歴史をたどることで、日本人の隠された宗教観をあぶり出す。

1424
キリスト教と日本人
――宣教史から信仰の本質を問う
石川明人
日本人の99％はなぜキリスト教を信じないのか？　宣教師たちの言動や、日本人のキリスト教に対する複雑な眼差しを糸口に宗教についての固定観念を問い直す。

1048
ユダヤ教　キリスト教　イスラーム
――一神教の連環を解く
菊地章太
一神教が生まれた時、世界は激変した！「平等」「福祉」「不寛容」などを題材に三宗教のつながりを分析し、現代の底流にある一神教を読み解く宗教学の入門書。

ちくま新書

399
教えることの復権
大村はま
苅谷剛彦・夏子
詰め込みかゆとり教育か。今再びこの国の教育が揺れている。教室と授業に賭けた一教師の息の長い仕事を通して、もう一度正面から「教えること」を考え直す。

1026
ユダヤ人の教養
――グローバリズム教育の三千年
大澤武男
グローバルに活躍するユダヤ人。ノーベル賞受賞、世界企業の創業、医師や弁護士……。輝かしい業績を生む彼らの教養・教育への姿勢と実践を苦難の歴史に探る！

1298
英語教育の危機
鳥飼玖美子
大学入試、小学校英語、グローバル人材育成戦略……2020年施行の新学習指導要領をはじめ、日本の英語教育は深刻な危機にある。第一人者による渾身の一冊！

1354
国語教育の危機
――大学入学共通テストと新学習指導要領
紅野謙介
二〇二一年より導入される大学入学共通テスト。高校国語教科書の編集に携わってきた著者が、そのプレテスト問題を分析し、看過できない内容にメスを入れる。

1455
ことばの教育を問いなおす
――国語・英語の現在と未来
鳥飼玖美子
苅谷夏子
苅谷剛彦
大学入学共通テストへの記述問題・民間試験導入などで揺れ動く国語教育・英語教育。ことばの教育はどうあるべきなのか、3人の専門家がリレー形式で思考する。

1468
国語教育　混迷する改革
紅野謙介
実用文と複数資料を扱う「大学入学共通テスト」の構造的欠陥とは。論理と文学を切り分けた「新学習指導要領」の行方は。歪められつつある国語教育の未来形を考える。

1451
大学改革の迷走
佐藤郁哉
シラバス、PDCA、KPI……。大学改革にまつわる政策は理不尽、理解不能なものばかり。なぜそういった改革案が続くのか？　その複雑な構造をひもとく。

ちくま新書

1013
世界を動かす海賊
竹田いさみ

海賊の出没ポイントは重要な航路に集中する。資源を海外に頼る日本の死活問題。海自や海保の活躍、国際連携、資源や援助……。国際犯罪の真相を多角的にえぐる。

1477
EU離脱
――イギリスとヨーロッパの地殻変動
鶴岡路人

ついに離脱を現実のものとしたイギリスが失うものとはなにか？　一枚岩になれないEUはどうなるのか？　なお問題山積のヨーロッパの現在を最も正確に論じる。

1483
韓国　現地からの報告
――セウォル号事件から文在寅政権まで
伊東順子

セウォル号事件、日韓関係の悪化、文在寅政権下の分断……2014～2020年のはじめまで、何が起こり、人びとは何を考えていたのか？　現地からの貴重なレポート。

1148
文化立国論
――日本のソフトパワーの底力
青柳正規

グローバル化の時代、いま日本が復活するカギは「文化」にある！　外国と日本を比較しつつ、他にはない日本独特の伝統と活力を融合させるための方法を伝授する。

1445
コミュニティと都市の未来
――新しい共生の作法
吉原直樹

多様性を認め、軽やかに移動する人々によるコミュニティはいかにして成立するのか。新しい共生の作法が、既存の都市やコミュニティを変えていく可能性を探る。

1484
日本人のためのイスラエル入門
大隅洋

AI、スタートアップ、先端技術……。宗教と伝統が息づく中東の小国はいかにしてイノベーション大国となったのか？　現役外交官がその秘密を語り尽くす！

1314
世界がわかる地理学入門
――気候・地形・動植物と人間生活
水野一晴

気候、地形、動植物、人間生活……気候区分ごとに世界各地の自然や人々の暮らしを解説。世界を旅する地理学者による、写真や楽しいエピソードも満載の一冊！